未来の年表 業界大変化
瀬戸際の日本で起きること

河合雅司

講談社現代新書

2688

はじめに

これから日本を襲う「ダブルの縮小」

日本が人口減少社会にあることは、誰もが知る「常識」である。だが、企業や政府・地方自治体（行政機関）の「仕事の現場」に起きることを正しく理解している日本人は、いったいどれくらいいるだろうか？

新型コロナウイルス感染症のパンデミックや、ロシアのウクライナ侵攻によって、各国経済は大きなダメージを受けた。景気の波はあるし、社会経済を不安定にする出来事はたびたび起きる。いちいち数えたらきりがない。

だが、こうした経済上の危機は大概、「時間」が解決してくれる。画期的な技術の登場に助けられることもある。政府などの支援も活用しながら、企業は独自の経営努力によって何とか乗り切るだろう。

ところが、人口減少はそうはいかない。

結婚や妊娠・出産に対する人々の価値観の変化がもたらした社会構造上の問題であり、政府の失政の結果や人為的に起こされたことではないからだ。

多くの人々が「多産社会に戻そう」と価値観を変えることでもないかぎり、将来にわたってずっと減少は続く。仮に、価値観が変わったとしても、人口増加社会に戻るのは何十年も先のことだ。その間は人口減少の弊害が続く。人口問題とは、繰り返し起きる社会経済問題などとは異なり、日本社会に与えるインパクトが桁違いに大きいのだ。

人口減少がビジネスに与える影響で即座に思いつくことといえば、マーケットの縮小や人手不足だ。日本は国内需要依存型の企業が多いだけに、とりわけマーケットの縮小は死活問題である。

しかも、マーケットの縮小とは単に総人口が減るだけの話ではない。若い頃のようには消費しなくなる高齢消費者の割合が年々大きくなっているのである。**今後の日本は、実人数が減る以上に消費量が落ち込む「ダブルの縮小」に見舞われる**ということだ。

現実逃避する経営者たち

しかしながら、こうした実態を知ってか知らでか、人口減少などどこ吹く風と言わんばかりに、どの業界でも大規模な事業計画が目白押しである。いまだに売上高の拡大を目指す経営者が少なくない。

誤解していただきたくないが、企業経営者が足元の利益を確保することを批判しているのではない。マーケットが日々縮小、変質を続けている「現実」から逃避しているかのような経営判断・姿勢を危惧しているのである。**このまま拡大路線を貫き、現状維持を模索していったならば、必ずどこかで行き詰まる。**

私は仕事柄、経営者の集まりに招待されることが多いが、時折「うちは海外との取引が大半なので、国内マーケットが縮小しても影響はない」と語る経営者とお会いする。だが、そうした企業だって国内に取引先を一切持たないわけではないだろう。**人口減少の影響を受けない組織や個人は存在しない。**

「戦略的に縮む」という成長モデル

では、日本が人口減少に打ち克つには、どうしたらいいのだろうか。

答えは、経済成長が止まらないようにすることだ。成長が続きさえすれば、人口減少や少子高齢化は止められないとしても、これらによって引き起こされる弊害のかなりの部分は解決する。

だが同時に、人口減少が日本経済の足を引っ張る主要因ともなっている。この大いなる矛盾を解決するには、マーケットが縮小しても成長するビジネスモデルへと転換することである。

「言うのは簡単だが、そんな都合のいいビジネスモデルなどあるはずがない」との声が聞こえてきそうだ。もちろん魔法の杖などない。だが、日本は瀬戸際にあり、いずれにせよ過去の成功体験と決別せざるを得ない。発想さえ変えれば十分に可能だ。

発想をどう変えるかといえば、**各企業が成長分野を定め、集中的に投資や人材投入を行うことである。「戦略的に縮む」のだ。**かなり思い切ったことをしなければ人口減少に押しつぶされてしまう。

「戦略的に縮む」という成長モデルを実現するためには、いくつも手順を踏まなければならない。本書はそれを明らかにしていく。

例えば、求められる要素として、他国の追随を許さぬ技術力やアイデアに富んだオリジナリティーがある。資源の乏しい日本は、人口が増えていた時代も独自性で勝負をかけ、成長の果実を手にしてきた。人口減少社会ではなおさらそうした力が求められる。

「売上高」から、「利益高」へと経営目標をシフトさせることも不可避である。マーケットが縮小して売上高が減ったとしても利益高さえ伸ばせたならば企業は発展する。そうした企業を1つでも増やすことが日本経済の成長につながり、国民生活をこれまで以上に豊かにする。

未来を可視化し、勝ち筋を示す

本書は2部構成である。

第1部では、各業種やビジネスを支える公共サービスの現場で起きつつある課題を人口減少の観点で捉える。このまま対策を講じなかったならば各業界や職種において今後何が起きるのか、未来の可視化作業——いわば、ビジネス版の「未来の年表」だ。製品やサービスの利用者である国民の立場からすれば、暮らしを支えてくれる企業や仕事が今後どうなっていくのか知ることでもある。

むろん各企業・行政機関は固別の課題を抱え、人口減少だけでは説明できない難題も多い。だが、もはや人口減少の影響を織り込まない政策や事業計画は意味をなさない。そうである以上、人口減少のもたらす弊害を可視化することに意味があろう。そこから企業や行政機関が真に進むべき方向性が見えてくる。

第2部では、「戦略的に縮む」という成長モデルの手順を深掘りし、「未来のトリセツ」（10のステップ）として具体的にお示ししようと思う。人口減少下における企業の勝ち残り策として提言したい。

特に重要なのは2つだ。

1つは、先にも触れたが、各企業・行政機関が事業をスリム化し得意分野に資本や人材などを集中投入することである。消費者数も勤労世代も減っていくのだから、すべてを人口が増えていた時代のようにやろうとすることには無理がある。とりわけ各企業は得意分野に磨きをかけ、これまで以上に競争力をつけていかなければならない。そうすることで、自ずと海外でも道が開ける。

もう1つは、従業員・職員個々のスキルアップを図り、労働生産性を向上させることだ。人手が減っていく分は、一人一人が〝稼ぐ力〟を強化し、労働時間を充実させることでカバーするしかない。同時に働き手の貴重な時間を奪う〝無駄な会議〟などを無くす必要もある。

＊＊＊

ベストセラーとなった私の代表作『未来の年表』では、少子高齢化や人口減少がもたらす巨大な危機について、いつ何が起こるのかを「人口減少カレンダー」として体系的にお示しした。「カレンダー」の内容を「現実」が次々と追いかけてきている。2018年には75歳以上人口が65~74歳人口を上回り、2020年には女性人口の過半数が50歳以上となった。人口の未来というのはほぼ外れることはない。

だが、私が必死にデータ収集と分析を繰り返し、「人口減少カレンダー」の完成度を高めたとしても、人々の意識や行動が変わらなければ何の意味もない。瀬戸際の日本を衰退の道への転落から守り切れるかどうかは、われわれ一人一人にかかっている。

拙著『未来の年表』は、人口減少を「静かなる有事」と名付けた。戦争や自然災害など目に見える危機とは異なり、じわじわと日本社会を蝕《むしば》むからである。その変化に気づいたときにはすでに手遅れである。そうしないためにも、ビジネスモデルの転換だけでなく、あらゆる社会システムを一刻も早く人口減少に耐え得るものへと作り替えなければならない。

本書が、人口減少社会を乗り越えるための道筋を示すものとならんことを切に願う。

目次

索引 第1部で取り上げる業種・職種一覧

序章——人口減少が日本にトドメを刺す前に

人口の未来は「予測ではない」

人口減少はビジネスやそれを支える公共サービスにさまざまな変化をもたらすが、雇用制度や労働生産性への影響はとりわけ多大だ。

例えば、年功序列や終身雇用といった日本特有の労働慣行だ。すでに崩壊し始めているが、これらはやがて続かなくなるだろう。第2部で詳述するが、定年などで退職する人数と同等か、それ以上の採用が安定的に続くことを前提としているからである。

年功序列の崩壊は、雇用流動化を促し、終身雇用も終わらせる。人口減少のようなメガトン級の激変の到来で、どんな企業も将来が安泰とは限らなくなった。企業は人々を支え切る存在ではなくなったことを認識する必要がある。

実は、**人口の未来は予測ではない。「過去」の出生状況の投影である。**

この1年間に生まれた子供の数をカウントすれば、20年後の20歳、30年後の30歳の人数はほぼ確実に言い当てられる。例えば新規学卒者が今後どれくらい減っていくのか確かめてみよう。

少子化がもたらす最大の弊害

大多数は高校や専門学校、大学を卒業する20歳前後で社会人になる。そこで20年後の「20代前半」が現在と比べてどれくらいの水準になるかを計算してみる。

厚生労働省の人口動態統計で2021年時点における「20代前半」を計算することが可能だ。該当するのは1997~2001年生まれなので、この5年間の出生数を合計すると593万3690人となる。一方、2021年の「0~4歳（＝20年後に20代前半となる人たち）」である2017~2021年生まれは438万2242人である。両者を比べると20年後には、「20代前半」が26・1％も少なくなる。

多くの会社は何年も先まで見越して人事計画を立てる。わずか20年で新規学卒者が4分の3になったのでは計画を見直さざるを得なくなるだろう。短期間でここまで減ると、大企業や人気業種であっても求める人材を十分に採用できなくなるところが出てくる可能性がある。

これほどの若年世代の減少が待っているのに、年功序列や終身雇用を無理に続けよう単純に定年年齢を引き上げたならば、若手に閉塞感が広がる。

新規学卒者採用が減れば組織は新風が吹き込みづらくなり、マンネリズムに支配されることにもなる。少子化がもたらす最大の弊害は、各所で若い世代が極端に少ない状況が常態化し、社会や組織の勢い（＝活力）が削がれることである。同じようなメンバーで議論を重ねていても、似たようなアイデアしか出てこない。

日本経済に新たな成長分野がなかなか誕生しなくなったことと、少子高齢化は決して無関係ではないのだ。

2050年、消費者の4割が高齢者に

多くの企業経営者にとって関心が大きいのはマーケット縮小の行方だろう。日本は加工貿易国とされるが、実態は内需依存度の高い国だ。国内マーケットの縮小がそのまま経営上の打撃となる企業は少なくない。

だが、どう縮小するのかを具体的に理解している人は案外少ないのではないだろうか。消費者の実数が減る以上に消費力が衰える「ダブルの縮小」が起こるのだ。

人口は少子高齢化しながら減っていくためだ。国立社会保障・人口問題研究所（社人

研）の推計によれば子供（15歳未満）や勤労世代（20〜64歳）などは減るのに、65歳以上の高齢者数だけは２０４２年まで増え続ける。しかも高齢化のスピードは速い。高齢化率（総人口に占める高齢者の割合）は２０２２年９月15日現在で29・１％に達しているが、２０５０年代には38％程度にまで上昇する。

子供を除いた消費者の４割が高齢者になるマーケットとはどんな姿だろうか。高齢消費者の実態を考えてみよう。

高齢になると、一般的に現役時代に比べて収入が少なくなるが、一方で「人生１００年」と言われるほど超長寿時代となり、いつまで続くか分からない老後への不安は募るばかりだ。医療や介護にどれだけ費用がかかるか予想がつかないため、気前よくお金を使うわけにもいかない。若い頃に比べて消費する量は減り、住宅取得やマイカーの買い替えといった「大きな買い物」の必要性も乏しくなる。80代にもなれば生活圏は狭くなり、外出率自体が低くなる。社人研の推計では２０４０年の80歳以上人口は１５７８万人で、総人口の14・２％を占めるようになる。

少子化対策では人口減少は止まらない

ここまで人口減少がビジネスシーンに与える影響の一端をご紹介してきた。

だが、社会の激変が始まっているにもかかわらず日本人の多くは泰平の眠りに就いている。対策を講じようとする動きもないわけではないが、過去の延長線に未来を描き、現状維持を図ろうとする企業や行政機関が圧倒的だ。

それどころか、認識のずれや周回遅れの取り組みも目立つ。いまだに人口減少対策というと、「少子化対策の強化」を持ち出す政治家や経済団体の幹部は少なくない。

だが、子供を産むことのできる年齢の女性数が減っていくため、少子化対策を強化しても出生数の回復は簡単には見込めない。もはや少子化対策では、人口減少のスピードをほんのわずか遅らせることぐらいしかできないのである。

人手不足対策もそうだ。その原因を一時的な景気過熱に求める人がなくならないことには頭を抱えるが、外国人労働者の大規模受け入れをすれば何とかなるという主張にもついていけない。

外国人労働者を増やす手もあるが……

もちろん、外国人労働者の受け入れ拡大も対策の選択肢の1つではある。だが、日本の勤労世代の目減りを解消するには、どこの国からどれくらいの人数を当て込めばいいのか精緻で具体的な計画が不可欠だ。

日本の勤労世代は2040年までに1400万人ほど減る。そのすべてを外国人労働者で補おうというのなら土台無理な話である。

外国人労働者に対する需要は日本以外の国々でも大きくなっている。すでに介護職など専門性の高い職種で他国に競り負けるケースが報告されている。

こうした点を踏まえず、「受け入れ基準を緩和すれば、外国人労働者が増えるはずだ」などと願望に近い言葉を繰り返していても始まらない。日本は就業者が減ることを前提として解決策を考えざるを得ない。

瀬戸際の日本が取り組むべきこと

これからマーケットが大幅に縮小していく。人口が増え、若者が多かった時代の成功体験にすがっていてもうまくいくはずがない。

繰り返すが、**いま取り組むべきは、過去の成功体験や現状維持バイアスを捨て去り、人口が減り、出生数が少なくなっていくことを前提として、それでも経済を成長させ得る策を編み出すことである。**日本はかなり追い詰められ、瀬戸際にある――。

過去の成功体験や現状維持バイアスを捨て去るには、まずは人口減少がもたらす弊害を正しく知ることだ。

まずは第1部のビジネス版「未来の年表」から見ていこう。

第1部　人口減少日本のリアル

革新的ヒット商品が誕生しなくなる

――製造業界に起きること

ものづくり大国の難題

天然資源に乏しい日本は「ものづくりの国」である。近年、海外に拠点を移した企業も多く日本のGDP（国内総生産）における製造業の比重は下がってはいるが、2020年時点において約2割を占めており、依然としてわが国の中心的な産業である。新たなイノベーションや技術を生み出す製造業は〝日本の砦〟ともいえる存在であり、日本経済にとっては「2割」以上の意味を持っている。

いま、製造業は世界的に過渡期にある。カーボンニュートラル、人権尊重、DX（デジタルトランスフォーメーション）といった事業環境の大きな転換期を迎えているためだ。ロシアのウクライナ侵攻による資源高や半導体などの部品、素材不足、あるいはサプライチェーン全体のサイバーセキュリティー対策といったさまざまな課題にも直面している。

こうした喫緊の課題への対応の困難さもさることながら、日本の製造業には今後、人口減少の影響が大きくのしかかってくる。

若い就業者が100万人以上減少

まずは製造の現場の人手不足だ。

経済産業省などの「2022年版ものづくり白書」によれば、日本の就業者数は2002年には6330万人だったが、2021年には6713万人に増えた。しかし、この間、製造業の就業者数は1202万人（就業者全体の19・0％）から1045万人（同15・6％）へと157万人減っている。

むろん、就業者の総数が減ったことがただちに問題というわけではない。機械の高度化に伴ってオートメーション化が進み、昭和時代のように生産ラインに多くの女性就業者が並んで作業をするという光景はほとんど見かけなくなった。さらには製造拠点の海外展開によって「職場」そのものが大きく減ったという要因もある。就業者の総数が長期下落傾向をたどったのは自然の流れだ。

では、何が問題かといえば、年齢構成の変化だ。製造の現場が急速に高年齢化して

製造業就業者の1割弱が65歳以上

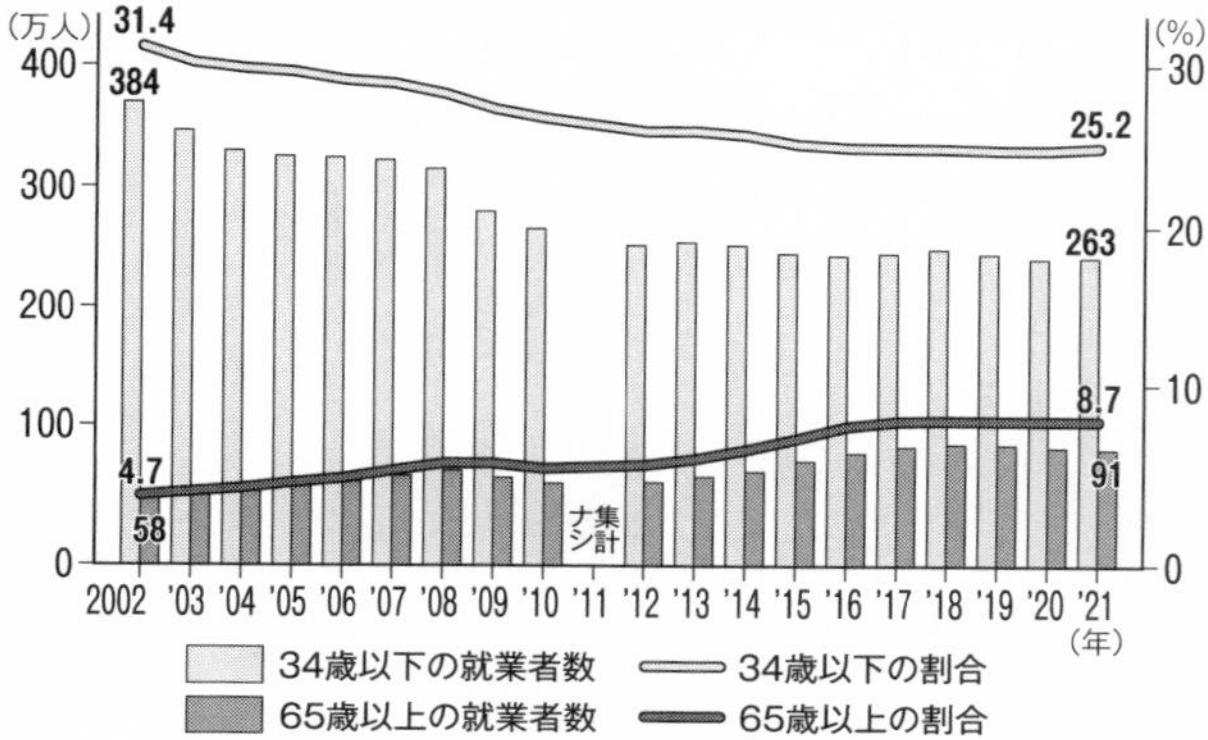

経産省・厚労省・文科省「ものづくり白書」より

いるのである。「２０２２年版ものづくり白書」によれば、34歳以下の就業者を２００２年（３８４万人）と２０２１年（２６３万人）とで比較すると、この20年ほどで１２１万人も減少している。製造業全体で見ると、２０２１年時点の34歳以下の就業者は25・２％でしかない。

オートメーション化や工場の海外移転などによって就業者数を減らしコストカットをしてきた企業が多いが、結果として若い就業者を減らすことになったということだ。だが、いくらオートメーション化を進めていっても、すべての工場が人をまったく必要としなくなるわけではない。日本の製造業全体として最低限必要な人数というのがある。それが確保できなくなってきているのだ。

長期にわたって若者が製造業から離れていったことの弊害は大きい。国内工場が相次いで閉鎖されたこともあって、次の世代の若者たちは先輩などから工場における仕事の内容を聞いたり、工場そのものに接したりする機会が少なくなった。それは工場に勤務した場合の自分の将来像がつかみづらくなったということだ。「きつい仕事の割に給料が安い」といった、必ずしも事実ではない勝手なイメージの広がりをこのまま許すことになれば、製造業を身近に感じない人がますます増えることとなる。

日本の製造現場の1割を高齢社員が支える

ただし、新規学卒者に不人気になったのかといえば、そうでもない。「2022年版ものづくり白書」によれば、製造業における新規学卒者は2013年の13万人から増加傾向にあり2020年は16万5600人となっている。全新規学卒者における製造業への入職割合もこの数年は12％前後を維持している。

新規学卒者の就業が増えているにもかかわらず、34歳以下の就業者の割合が減っているのはこの年代で退職する人が多く、新規学卒者の就業が多少増えたぐらいでは穴埋めできていないということだ。増えているといっても底を打っただけで、多くの若者が製造業に押しかけていた時代のような勢いに戻ったわけではない。

34歳以下の離職者が多いことを窺《うかが》わせるデータもある。独立行政法人労働政策研究・研修機構の「ものづくり産業におけるＤＸに対応した人材の確保・育成や働き方に関する調査結果」(調査時期は２０２０年12月)によれば、中途採用がメインとなっている。２０１７～２０１９年度に中途採用を「募集しなかった」企業は13・４％にとどまっているのだ。「中途採用が中心」という方針の企業は52・６％と半数を超えており、「新卒採用が中心」(21・４％)を大きく上回っている。

これは同時に、新規学卒者の採用が若干増えようが、中途採用を積極的に展開しようが、定年退職や離職者の穴を埋めるだけの人数を確保し切れていない実態を示すものである。米国と中国の対立激化などによって海外に製造拠点を移転させた企業が国内回帰を求められているが、もしそうした動きが大きくなれば人材確保はさらに厳しさを増すことになるだろう。

若い就業者が計画通り採用できず、定着もしないとなると、必然的にベテラン勢に頼ることとなる。老後の生活費不足を働くことで補いたいと考える人が増えていることも手伝って、製造業の65歳以上の就業は2012年頃から2017年まで上昇カーブを描いた。「2022年版ものづくり白書」によれば、2002年は58万人だったが2021年は91万人にまで増えた。これは製造業全体の就業者の8・7%にあたる。日本の製造現場の1割近くは高齢社員によって支えられているのである。高齢者の就業が進んだことで、34歳以下の割合がより下がって見えている面もある。

とはいえ、高齢者の場合、健康面での個人差が大きくなり誰でも良いわけではない。加齢に伴う体調面での不調も増える。若い頃のように働けるわけではない。

外国人依存では乗り切れない

そこで大きくなるのが、外国人労働者への依存度だ。厚労省の「『外国人雇用状況』の届出状況まとめ」（2021年10月末現在）によれば、外国人を雇用している製造業の事業所は2017年の4万3293ヵ所から年々増え2021年は5万2363ヵ所になっている。外国人労働者数は新型コロナウイルス感染症に伴う入国制限で2020年以降は微減となっているが、コロナ禍前は急増していた。2017年（38万599

7人）と2019年（48万3278人）を比較しても9万7000人以上増えている。いまや日本の製造業は高齢者や外国人が主戦力なのである。

だからといって、外国人依存で乗り切ろうという発想は危うい。外国人労働者の雇用状況は水ものだからだ。先述したように他国との争奪戦が激しい時代になってきており、安定的に採用できるとは限らない。

製造の現場における若い就業者の減少は、技術の承継を困難にする。小規模や零細企業ではベテラン社員の熟練の技に頼っているところが少なくない。それは、知識というよりも経験と勘が重要であることが多く、一朝一夕に身につくものではない。就業者の世代交代がうまく機能しなければ、熟練の技が消えることはもとより、その企業の「強み」が消え、経営が行き詰まることでもある。

そうした技術の消滅は大企業の生産や開発にも影響を及ぼす。日本の製造業は、幾層もの下請け企業によって成り立っている。製品を作るのに不可欠な部品や素材を作っている下請け企業の熟練の技を失ってしまった場合、代わりは即座には見つからない。

消費者の生活を一変させるような画期的な製品はほとんど誕生しなくなり、日本の製造業は、全体としては往年の勢いがなくなった。中国や韓国、新興国の企業の台頭を許している分野が目立つことも覆い難い事実だ。だが一方で、製造プロセスが複雑で模倣困難なファインセラミックス部材など優れた技術はいくつも存在する。「世界ナンバーワン」を誇る隠れた日本の中小、零細企業は少なくない。それは日本の経済成長にとってなくてはならない存在となっている。確かな技術に裏打ちされた熟練の技こそが、「世界ナンバーワン」に押し上げている力となっているのだ。

少子高齢化や人口減少がもたらす製造の現場の若手不足は、日本の「ものづくり」のみならず日本経済にとってのウイークポイントである。

一番求められるのは「若者の突破力」

製造の現場と並び、製品企画開発部門も人口減少の影響を大きく受ける。

製造業の製品企画開発に携わる専門家や技術開発者の中高年齢化は、新しいアイデアを着想する力や社会の新しいニーズを取り込む力を弱め、新技術や新商品を開発する力の衰退を招く方向へと作用しやすくなる。

資源小国の日本は今後も知恵と技術によって国を興すしかなく、人口が減少するほど技術立国であることの意味は大きくなる。製造業における技術力や開発力の劣化は、当該企業のみならず、日本という国にとっての死活問題だ。

そうでなくとも、先述したように製造業はカーボンニュートラルやＤＸといった事業環境の大きな転換期を迎え、製品企画や技術開発部門はその対応に追われている。高品質のものを安価で提供すれば売れた時代が終わり、各国ごとのニーズに対応したカスタマイズ製品の開発も求められている。

開発の最前線が中高年社員中心でマンネリズムの支配を許す組織文化では、若い開発者が躍動する外国企業に太刀打ちできない。

まさに各企業が総合力で勝負しなければならなくなってきており、求められるのは若者の突破力だ。そんなときに、社会や人々のニーズの変化に敏感な若い研究者や技術開発者を十分確保できないようでは勝負にならない。１９９０年代半ば以降の日本のものづくりの衰退の要因はここに根差していると言ってよい。このままでは、ますます革新的なヒット商品が日本から誕生しづらくなる。

整備士不足で事故を起こしても車が直らない
——自動車産業に起きること

自動車業界の4大潮流

製造業においてはマーケットの変質も経営を揺さぶることになる。

例えば、戦後の日本経済を力強く牽引してきた自動車産業だ。

現在の自動車産業は、100年に1度の大変革期に見舞われている。それは「Connected（IoT化）」、「Autonomous（自動運転化）」、「Shared & Services（カーシェアリングの浸透）」、「Electric（EV（電気自動車）の浸透）」という業界の構造を根底から変える4大潮流の頭文字をとって「CASE」と表される。政府がグリーン成長戦略で「2035年までに新車販売で電動車100%の実現」を国の方針として明記したこともあり、自動車産業や蓄電池産業は開発にしのぎを削っている。

政府は充電スタンドや水素ステーションの設置を急ピッチで進めようともしており、電動車への切り替えは進んでいくだろう。

自動車産業は輸出が大きな割合を占めるため、人口減少で各社の経営がただちに揺らぐことはないが、国内マーケット縮小の影響を受けないわけではない。内閣府の消費動向調査を基に、世帯主の年齢階層別の乗用車普及率を調べるとクルマの中心的な購入層は30代、40代だが、厚労省の人口動態統計の年間出生数を計算すると、30代前半だけでも今後30年で3割減る。これは大きな痛手であろう。

そうでなくとも、若者のクルマ離れが指摘されている。このため、最近では、若い世代にアピールしようとメーカー自らサブスクリプション（定額制サービス）に力を入れ始めている。ところが、自動車産業をめぐっては思わぬところにも落とし穴がある。

整備士不足という「落とし穴」

整備士が不足し始めているのだ。自動車は販売すればおしまいという商品ではない。安定的に利用するにはこまめなメンテナンスが必要である。それは、クルマを走らせる燃料がガソリンであるか、電気であるかを問わない。

高齢化で、今後は高齢者の自動車保有が進む。

それは同時に、買い替えサイクルが長くなるということである。現役時代と比べて収入が少なくなり、一台を丁寧に乗り続けようという意識が強くなるためだ。またかってよりクルマの性能が向上したことも長く乗り続ける人を増やすこととなっている。長く乗るということは部品の交換が必要となることでもあり、自動車整備の需要はますます増える。

需要が高まりを見せるのに整備する人が足らず、作業が滞ることになればクルマ離れに拍車をかけよう。整備士の不足は自動車の製造や販売にとって新たな経営上のマイナス要素となりかねないのである。

自動車整備学校入学者が約半減

では、整備士はどれくらい減っているのか、一般社団法人日本自動車整備振興会連合会の「2021年度 自動車特定整備業実態調査」で直近の数字を確認してみよう。

整備要員数は39万8952人で前年度より2266人（0・07％）減っている。整備士数も前年度より5274人（1・6％）少ない33万4319人だ。整備要員数に対する整備士数の割合（整備士保有率）は83・8％で1・3ポイント減少した。整備要員の平均年齢（自企業の保有する車両の整備を行う事業所を除く）は前年度より0・7歳上昇して

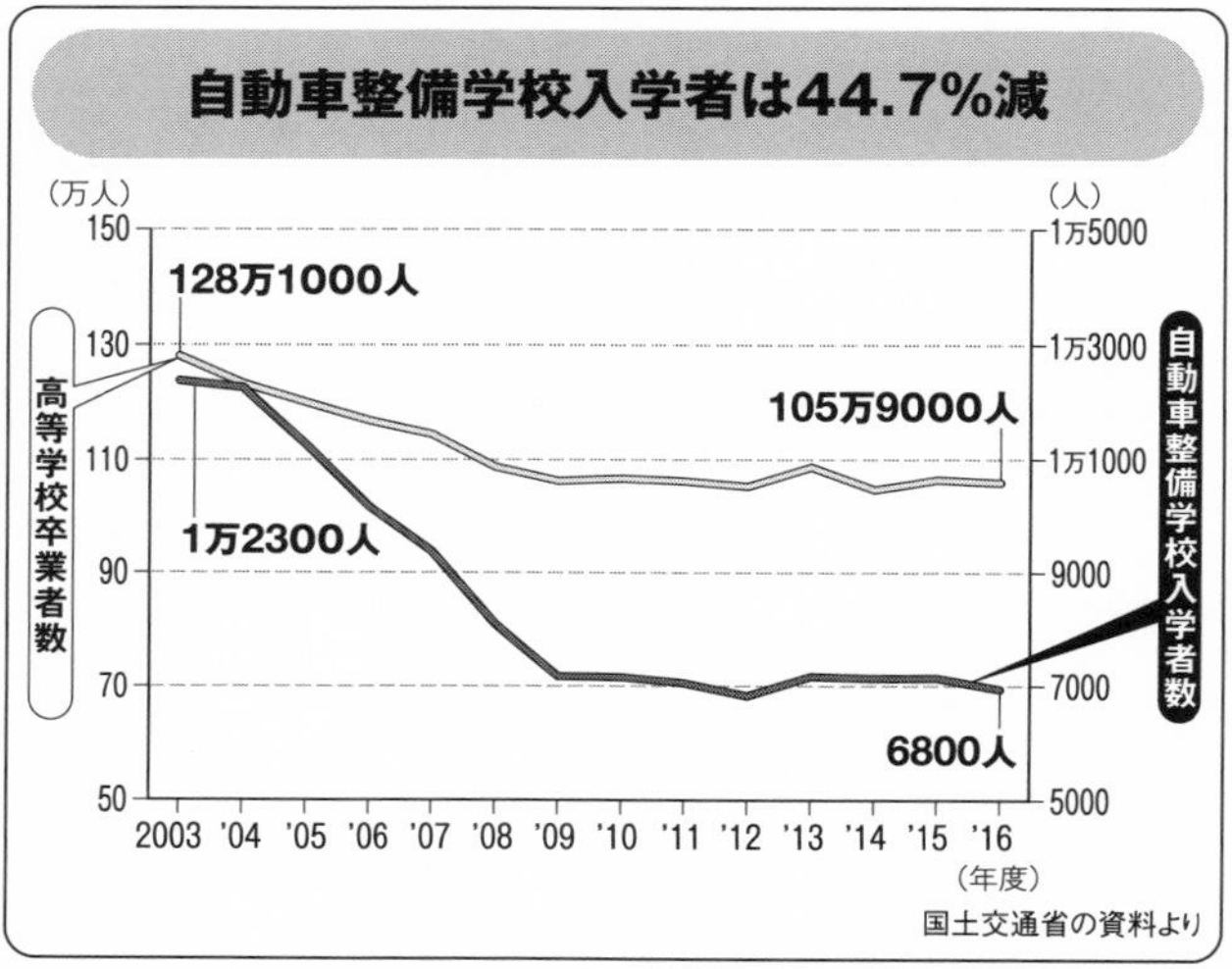

46・4歳となっている。ここにも高齢化の波は押し寄せている。

数字だけを見ると「減っているといっても微減ではないか」との印象を受けるが、自動車整備学校への入学者数を見るとそうは言っていられない。

国交省の資料が2003年度から2016年度までの自動車整備学校への入学者数の推移を紹介しているが、急カーブで減少している。2003年度（1万2300人）と2016年度（6800人）を比較すると44・7%もの大激減である。同期間の高校卒業者数の下落率は17・3%である。自動車整備学校入学者数の落ち込みがいかに大きいかが分かるだろう。

２０１２年度から２０１６年度にかけての自動車整備の有効求人倍率を見ても、各年度で全職種を上回り、年を追うごとにその差は拡大している。人材不足が年々深刻化していることを示すデータだ。

自動車整備学校入学者数の低迷は現在も続いている。関係者によると、２０２０年度は入学者数が約６３００人だ。学科試験の申請者数も２００５年度の７万人から３万６６３０人へとほぼ半減している。事態を重く見た国交省は整備士の仕事を紹介する啓発ポスターを作成したり、有識者会議で打開策を検討したりしている。

若者はなぜ整備士を目指さないのか

整備士を目指す若者が激減傾向をたどる背景には、少子化の影響に加えて、若者のクルマ離れや低賃金、過重労働のイメージが定着していることがある。

ちなみに、警察庁の運転免許統計によれば２０２１年の20代の免許保有者数は１００２万４５５７人で、２００１年の１５６９万９６５９人より５６７万５１０２人、36・１％も低い水準だ。クルマ離れがいかに深刻かを裏付ける数字である。

かつてクルマは若者にとって〝憧れの存在〟だったが、もはやそうではなくなってきているのだ。クルマへの関心が薄れて、整備会社を就職先として具体的にイメージしづらくなっているのである。

クルマが「機械」ではなく「コンピューター」へと変貌してきていることもある。バンパー一つとっても、いまはセンサーがたくさん組み込まれている。クルマの構造を理解していることはもとより、だんだんコンピューターの知識も求められるようになってきている。短期間での技術革新に対応できないと敬遠する人もいるだろう。

だが、整備士不足にはさらに大きな要因がある。

大学進学率の上昇だ。製造業や自動車整備業界を就職先として考える対象者が18歳人口の減少以上に少なくなっているのである。

18歳人口が減っていくにもかかわらず、文部科学省は大学数を増やす政策をとってきた。当然ながら入学定員割れが常態化する大学が増えた。そうした大学では「入試改革」と称して、かつてならば不合格にしていたレベルの受験生が入学できるよう新たな推薦入試枠などを設ける動きを拡大させてきた。その結果、長らく日本の各産業を下支えしてきた仕事に就く層が薄くなってしまっているのである。

これは自動車整備士だけでなく、他分野の技術者や職人の減少にも通じる話である。たとえば、第一種電気工事士だ。経産省の資料によれば2030年には2万6000人不足する。空調設備業界では配管施工の担い手は高齢化が進んでいる。このまま電気工事士や配管技能士といった職種の人手不足が続けば、エアコンが故障してもいつ取り換え工事に来てもらえるか分からなくなる。最近の夏は酷暑続きだけに、まさに命とりとなりかねない。

エネルギー補給ができなくなっていく

充電スタンドや水素ステーションも自動車産業にとっては不安定要素だ。整備こそ政府のバックアップもあって進むだろうが、設置が目的ではなく、定期的なメンテナンスが不可欠だ。ここでも技術者不足が響くこととなる。人口が激減していくエリアで経営的にどう維持するかもポイントとなる。利益が上がらなければリニューアル費用は捻出できない。過去に整備した施設では老朽化が目立ってきた。

燃費が良くなったこともあって、過疎エリアを中心にガソリンスタンドの廃業が相次いでいるという現実があるが、充電スタンドや水素ステーションも例外とはいかないだろう。経営を維持し得る利用者数を確保できなければ立地し続けられない。しかも今後は、過疎エリアは急速に広がっていく。

人口の少ない地方で充電スタンドや水素ステーションを維持できなければ、自宅で簡単に充電できるタイプの軽ＥＶ（軽の電気自動車）が普及する可能性が出てくる。１回の充電による航続可能距離を伸ばそうとすれば、大容量の電池が必要となり、車体は重く車両価格も高くなるが、その点、軽自動車であれば重量が軽く、消費する電力量は少なくて済む。しかも、高齢ドライバーの増加とともに近場の移動だけで十分というニーズも広がってきた。この程度の移動距離なら自宅での充電でも何ら差し支えはないだろう。

もちろん、ガソリン車と同じく、長距離を走らなければならないというニーズが無くなるわけではないので、急速充電できるスタンドの経営問題からは逃げられない。むしろ、自宅充電で間に合う軽ＥＶの高齢ドライバーが増えたならば、スタンド経営はその分だけ苦しくなる。充電スタンドなどをめぐっては、もう１つ懸念材料がある。ガソリン車が完全になくなるまではかなりの時間を要することだ。しばらくはガソリン車と電気車や水素車が併存する時代が続くが、ガソリン需要は長期にわたって減っていく。過疎地だけでなく給油所経営を圧迫しガソリンスタンドの廃業が加速するだろう。ガソリンスタンドが急速に消え、一方で充電スタンドや水素ステーションの設置も不十分という地域では、どのようなクルマに乗ろうともエネルギー補給が不便な状況が続くこととなる。

これは、充電スタンドや水素ステーションが全国に普及・定着すればいずれは解消する問題ではあるが、クルマを簡単には買い替えない高齢層が増えていくことで移行期が長くなれば、その間のエネルギー補給の不便さを理由としたクルマ離れにつながりかねない。

整備士不足にせよ、充電スタンドや水素ステーションの安定経営への不安にせよ、自動車産業の国内マーケットの縮小を、人口減少による縮小よりも速く進める要因となり得るということだ。

自動車メーカーの多くはグローバルな事業展開をしており、国内マーケットの縮小が少し早まるぐらいではびくともしないだろう。だが、裾野産業を含めて日本人の雇用を支えてきた代表的産業である。国内市場の変質への対応を怠れば、その影響は他の産業へと波及的に広がっていく。

ＩＴ人材80万人不足で銀行トラブル続出
——金融業界に起きること

銀行が直面する「壁」

日銀のマイナス金利政策導入や人口減少に伴う国内マーケットの縮小で収益低下に苦しむ銀行業界だが、デジタル化の波によってネット銀行が登場し、既存の銀行のビジネススタイルが大きく変わってきている。

多くの説明を要しないだろうが、ネット銀行は利用者が所有するスマートフォンやパソコンが「銀行の窓口」である。いつでも、どこにいても振り込みや残高照会といった銀行手続きが可能なサービスだ。

こうした利便性に加えて、実店舗をほとんど持たないことにより手数料も既存銀行より割安である。キャッシュレス取引が社会に定着してきたこともあって、いまやデジタルネイティブ世代だけでなく、幅広い世代に普及している。

ＡＴＭ手数料の相次ぐ値上げを嫌ってネット銀行への乗り換えが進んだことに、既存銀行は危機感を強めている。とりわけ、人口減少によるマーケットの縮小ペースが速い地方銀行は深刻だ。各銀行ともインターネットバンキングサービスの拡充を図り、顧客の取り戻しに懸命である。ネット銀行の普及に背中を押される形で、金融業界全体が取り組み始めたということだ。

もちろん、既存のビジネススタイルのまま、インターネットバンキングを強化するのは非効率である。ということで、各銀行はコストの削減に取り組んでいる。メガバンクをはじめとする大手銀行を中心に店舗網やＡＴＭ網の大胆な統廃合が急ピッチで進んでいるのもこうした要素が大きい。

実店舗は「高級サロン」のように

こうした動きは銀行だけでなく金融業界全体に広がっている。大手証券会社もインターネットサービスの台頭に押されて実店舗の再編に乗り出した。今後の実店舗は、利益を上げる「最前線基地」から、上客との関係を深めるための「高級サロン」のような場所へと変わっていくことだろう。

かつては駅前一等地に銀行の看板が立ち並ぶといった光景が当たり前だったが、いまでは銀行の支店はオフィスビルの上層階にひっそりと収まっていて探すのに一苦労するケースも少なくない。銀行や証券会社の窓口に出向くことはめっきり減ったという人も少なくないだろう。

政府はキャッシュレス化を推進しており、国内の現金流通は激減していくものと見られる。メガバンクがATM網を維持するのに年間2兆円ほどかかっているとも言われているだけに、インターネットサービスへの移行は既存銀行にとっていつかは着手しなければならない課題であった。

余談だが、銀行などの金融機関が繁華街やビジネス街から撤退すると、地価にも影響する。

通行量の多い道路に面する店舗物件は確実な集客が見込めるとあって、その地域のビル賃料をリードしてきたためだ。主要交差点や駅を取り囲む大型ビルの一階というのは、高い賃料を支払える銀行や証券会社、保険会社などが長期契約するというのが定番であった。

こうした金融機関が支払ってきた賃料と同水準の支払いができる別業種が即座に見つかればよいが、入居者がなかなか決まらないエリアでは賃料が下がり、街の風景まで変わる可能性がある。それは、周辺地域の地価にも波及していくことだろう。

一方で、実店舗の削減は、窓口業務など内勤の仕事を担っていた従業員の多くが不要になるということだ。金融機関としては支店運営費用の縮減もさることながら、従業員のリストラこそがコストカットの本丸である。

こうした部署の余剰人員を営業やコンサルティング業務などにシフトさせているのである。だが、窓口業務などで働いていた人が、急に営業の最前線や、専門知識を求められるコンサルティング業務に異動となったならば対応できない人も出てくる。

型にはまった仕事とは異なり、経験とセンスが問われる。研修を受けたからといってすぐに戦力になるわけではない。このため、辞職する人が後を絶たない。

「信用力」を支えるIT技術が全然足りない

このように、既存のビジネススタイルからデジタルを活用したビジネススタイルに大転換中の金融業界だが、少子高齢化が「大きな壁」となって立ちはだかりそうである。

金融機関の最大の資産は「信用力」である。しかしながら、金融各社にはデジタル化に後れを取っているところが少なくない。メガバンクでさえ、いまだに通信障害が発生してＡＴＭが何時間も利用できないといったトラブルを頻繁に起こしている。今後、「信用力」を勝ち取りながら多様なサービスをインターネットサービスとして展開していくならば、より強固で安定的なデジタル基盤の整備が必須となる。

それには、先端ＩＴ人材が必要となるためメガバンクのみならず、地方銀行や証券会社、生命保険会社、損害保険会社といった金融業界全体でこうした人材の争奪戦がすでに激化している。

だが、先端ＩＴ技術を扱える人材がそんなに簡単に育つはずがない。しかも少子化で若い世代は急速に減ってきているので、金融各社が求める人数を計画通りに確保できるとは考え難い。

経産省などの「ＩＴ人材需給に関する調査」（２０１９年）が厳しい将来像を示している。ＩＴ人材は２０１８年の１０３万１５３８人から２０３０年には１１３万３０４９人にまで増えるものの、この年に想定される需要を満たすには44万８５９６人足りないと見積もっているのだ。もしＩＴ需要が想定される中で最も大きくなれば、最大約78万７０００人不足するとしている。

同調査は、ＩＴ技術者のニーズは大きいため、「情報処理・通信技術者」として就職

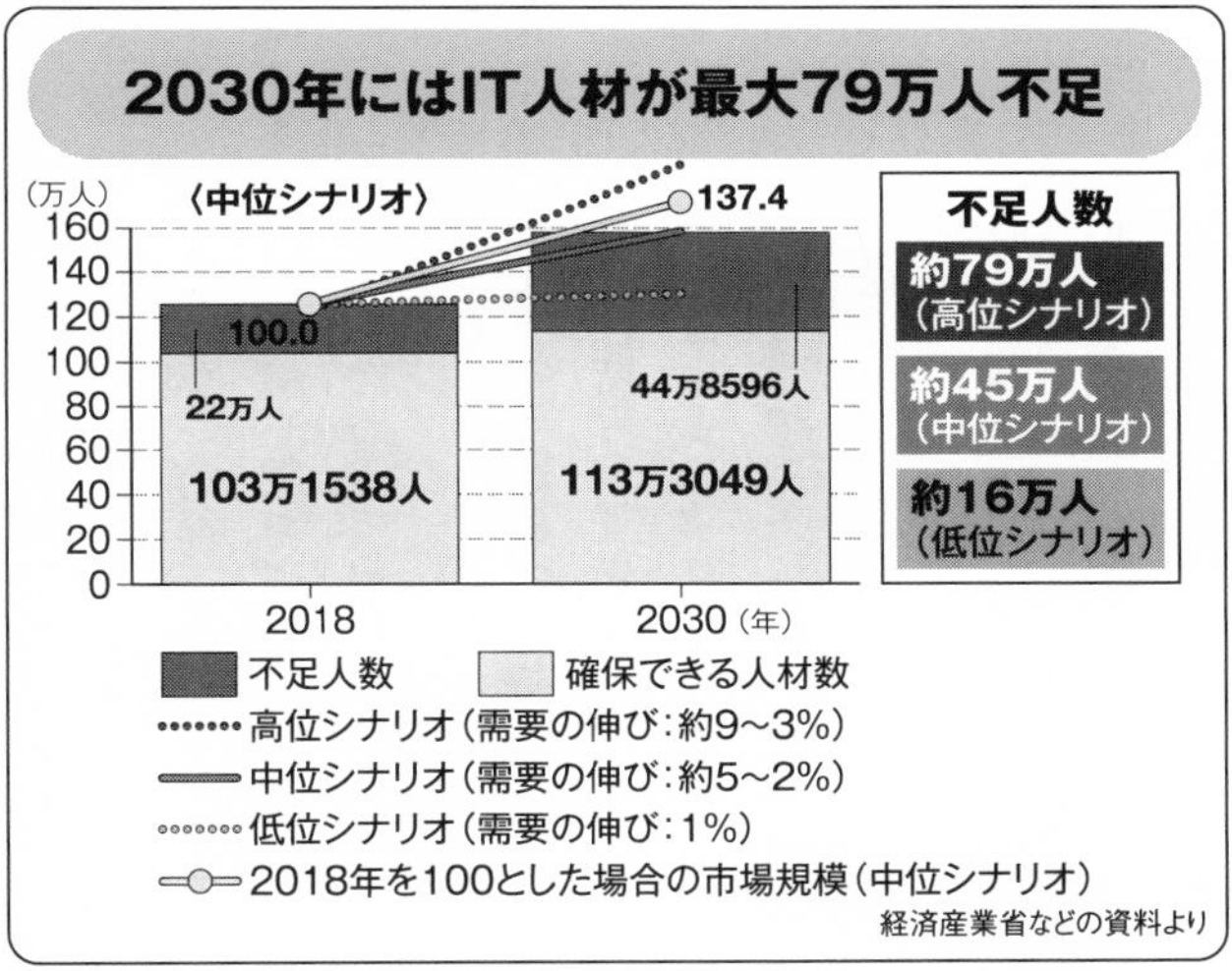

する新規学卒者は少子化にかかわらず、緩やかな伸びではあるが増え続けるとも予想している。だが、若者の絶対数が減っていく中でＩＴ分野に就職する新規学卒者が多少増えたぐらいでは、伸びる需要に追い付かないということである。

　ＩＴ技術の進歩は速いため、次々と誕生してくる先端技術を扱える人材は常に不足しがちだ。しかも、日本企業には構築から20年以上が経過した老朽化システムを抱えているところが多く、そのメンテナンスや運用に追われている実情もある。既存のＩＴ人材には先端技術を身に付けている余裕のある人が少ないのだ。「ＩＴ人材需給に関する調査」が２０３０年に供給できると見込むＩＴ人材もすべてが「先端ＩＴ人材」とはいかない。

調査はいくつかの前提をおいてシミュレーションしているが、どのケースも「従来型ＩＴ人材」が相当数を占める結果となっている。金融各社が「先端ＩＴ人材」のみ採用したいと考えるのであれば、２０３０年の不足人数はさらに大きな数字となる。

ＩＴ人材が銀行に就職する理由はない

もっとも金融業界が「先端ＩＴ人材」をどんなに求めようとも、各業種から引く手あまたのＩＴ技術者にすれば、「なぜ銀行や証券会社に就職するのか」という疑問がついて回るだろう。優秀な人材であれば、ＧＡＦＡなど外国の巨大企業に就職したり、起業したりと選択肢はいくつもある。ＩＴ人材に対する日本企業の処遇は世界各国と比べて高くない。日本の金融機関をあえて選ぶという人はそう多くないだろう。

既存技術者のリスキリングによる育成も求められるところだが、十分なＩＴ人材の獲得に失敗し、これまで築き上げてきた「信用力」という資産を失うようなことにでもなれば、日本の金融機関は弱体化する。それは日本経済の衰退と同義である。

地方紙・ローカルテレビ局が消える日

——小売業界とご当地企業に起きること

マーケット縮小の地域差という難題

一般消費者を相手として商品やサービスを対面販売する業種の場合、経営を成り立たせるためにはエリア内に一定規模の消費者（商圏人口）が必要だ。

理髪店や美容院のように保管や移動させられないサービスは、商圏人口の減少がそのままその地域での存続の可否に直結する。どれくらいの商圏人口を必要とするかは業種によって異なる（本書の巻頭にあるカラーページを参照）。

顧客の対象年齢が絞られた業種は商圏人口の動きに、より敏感にならざるを得ない。子供が少なくなれば進学塾は成り立たない。産科医院だって、妊娠し得る年齢の女性人口が激減したのでは維持できない。対象年齢の人口が多いエリアへと引っ越すか、〝商売替え〟することになるだろう。人口減少によって国内マーケットは縮小していくが、難しいのは国内マーケットの縮小スピードの地域差が大きいことである。

存続し続けられるか否かも大きな問題だが、そこに至るまでの間、対面型販売の小売企業を取り巻く経営環境は大きく変わる。多くの業種がビジネススタイルの変更を突き付けられるだろう。

例えば、身近な存在である食品スーパーマーケットだ。人口増加とともに拡大してきたため、売り上げを伸ばすためのノウハウの多くも人口拡大を前提として編み出されている。代表的なのが「ロスリーダー」と呼ばれる手法だ。集客数をアップさせるため収益を度外視した極端に低価格な目玉商品を用意するのである。目玉商品で原価割れしても、関連購買や「ついで買い」を誘発できるというのが狙いだ。利幅の大きい商品とそうではない商品を売り場に合わせ置き、原価率を総合的にコントロールするのである。

しかしながら、人口が減少するエリアではこうした手法は効果的とは言い切れない。人口減少エリアとは一般的に高齢化率が高いからだ。運転免許を自主返納する人は増えている。目玉商品に魅力を感じたとしても、店側が設定した日時に遠くの店舗まで足を延ばすかといえば、そういう人ばかりではないだろう。

むしろ、買った商品を持って帰る労力を考えれば、自宅近くの店舗のほうが割高であっても楽だ。最寄品（食料品など近所の店で頻繁に買う品）の商圏は半径500メートル～1キロメートル以内と言われる。認知症の人などにとっては、安さだけでなく、店員が親切に対応してくれる店のほうが買いやすい。商圏人口が減るということは、同時に、消費者が求める「便利さ」のモノサシも変わるということだ。

品揃えが悪いスーパーマーケットが増える

一般消費者にとってはあまり馴染みがないが、国内の食品流通は食品卸業によって支えられている。日本の場合は各地域に多数の小売企業が分散しているが、食品卸会社が全国各地の店舗に安定的に商品を届けているからこそ、地方の中小食品スーパーでも多様な商品を店頭に並べられるのである。

だが、商圏が縮小するとこうした流れに乱れが生じる。食品スーパーマーケットの場合、1つの商圏に複数企業が出店していることが多いが、商圏人口が減るとそのすべての共存は難しくなる。淘汰の結果、供給過剰になるところが出てくる。いまや、食品スーパーマーケットのライバルは競合他社店だけではなくなった。ドラッグストアやコンビニエンスストア、インターネット通信販売と多様化している。その分だけ、商圏人口の陰りが〝弱い店舗〟へのしわ寄せとして現れやすくなっている。

こうなると食品卸会社は食品スーパーマーケット各社の値踏みに入る。食品卸業界も各社が熾烈な競争をしており、シェアを伸ばすには業績が堅調な食品スーパーマーケットとの取引量を増やす必要があるためだ。販売の機会損失を防ぎたいという思いは、食品スーパーマーケットと食品卸会社とに違いはない。

食品卸会社も国内市場が縮む中で生き残りに必死である。人口減少社会では、どの企業も販売の機会損失にこれまで以上にシビアとならざるを得ない。「そうは問屋が卸さない」という諺があるが、文字通り売り上げが伸び悩む食品スーパーマーケットでは商品仕入れが困難になるケースも出てこよう。

こうして品揃えが悪くなると、さらに客離れが進む。〝負け組〟の食品スーパーマーケットは、商圏規模の縮小の影響が出る以前に姿を消すこととなる。

日本から「全国紙」が消える日

他方、対面販売ではなくとも、地域の商圏縮小の影響を直接受ける業種がある。会社名に都道府県名を冠した「ご当地企業」である。

代表的なのは地方銀行やカーディーラーのように地区割りされた各種の販売代理店だ。広い意味では地方国立大学なども該当しよう。一部には東京圏などでの展開に活路を見出そうとしているところもあるが、営業の主柱はご当地の都道府県であることに変わりはない。人口が増えていた時代には、県外のライバル企業の攻勢を受けることもなくメリットが上回っていたが、今となっては都道府県人口の減少がそのまま販売数や利用者数の減少を意味する。

地方銀行の苦悩ぶりは広く知られるようになったが、大変厳しい経営環境に置かれているのはローカルメディアも同じだ。地方新聞社（地方紙）では、すでに廃刊・休刊や、夕刊の撤退が相次いでいる。当該県人口の減少は販売部数の減少を招くだけではない。地方紙に広告を出す地元企業も減少する。地方紙にとっては広告収入やイベント開催などによる営業収入の減少も深刻なのだ。新たな収入源を確保すべく、ほとんどの新聞社が本来の新聞発行とは無縁の事業に乗り出し、経営の多角化を図っている。

新聞の場合、テレビに加えてネットメディアが発達したことで、いわゆる〝紙離れ〟が進んできた。一般社団法人日本新聞協会によれば、2021年10月の発行部数の総計は3302万7135部で、2000年10月（5370万8831部）と比べて38・5

%も減った。この間、一人暮らしの増加もあって世帯数は1・2倍増となっているのだから、宅配による購読離れがいかに進んだかが分かる。

さらに危機的なのは若い世代が、新聞という媒体を手にする機会が減ってきていることだ。総務省情報通信政策研究所の「令和2年度情報通信メディアの利用時間と情報行動に関する調査報告書」（2021年1月実施）によれば、新聞の平均閲読時間（平日）は10代1・4分、20代1・7分、30代1・9分と若い世代にはほぼ読まれていない。60代の23・2分を含めた全年代の平均でも8・5分に過ぎない。少子化で若者が減るという以前に、「新聞」そのものが必要とされなくなってきているのである。「長年の習慣」として宅配購読を続けている世代が亡くなったり、介護施設に入ったりすると部数の減少は急加速するだろう。

地方紙の場合、購読者はほぼ県内に限られるため、高齢化率が高くかつ人口減少スピードが速い県ほどマーケットの縮小は著しい。社人研の将来人口推計によれば2025年から2040年にかけて秋田、山口、鹿児島など21県で65歳以上人口が減る。75歳以上人口が減少するのは大阪府や山口県、京都府など17府県に上る。

地方紙の減少は全国規模で新聞発行を行う新聞社（全国紙）や複数県に発行する新聞

社（ブロック紙）にも影響する。地方の場合、地方紙と全国紙かブロック紙を併読している人が多いためだ。しかも、地方紙の新聞販売店が全国紙を配達しているケースもある。地方紙を購読しなくなれば、必然的に全国紙やブロック紙の購読もやめることになる。地方紙の激減とは、〝全国紙消滅〟へのファーストステップでもある。

地方紙の悩みの種は、購読者のマーケットが縮小し、拡大させることが難しいということだけではない。直近の課題として取材網や配達網の維持が困難になってきている。新聞社は小都市などに「通信部」という小さな取材拠点を持っているが、経営が悪化すると各地の通信部に記者を常駐させることが難しくなる。地方紙にとっては、全国紙ではカバーし切れないエリアに記者を配置することが強みであるだけに、これを維持できないとなると紙面の質だけでなく競争力の劣化をまねく。

一方、配達網の〝寸断〟も目立ってきた。新聞販売店は配達部数の減少に加えて過疎エリアが広がり、経営効率が悪化し続けている。いまでは路線バスに過疎地までの輸送をゆだねる事例も出てきた。過疎地では「朝刊は朝届くもの」という〝常識〟が過去のこととなったところが増えているが、新聞社の経営体力が弱くなれば、新聞が宅配できなくなるエリアが拡大する。

ローカルテレビ局の売上が１０００億円減少

地方のテレビ会社（ローカルテレビ局）も地方紙と同様に県内人口の減少に苦しんでいる。テレビ業界というと華やかなイメージを持ちがちだが、ローカルテレビ局の現状は決して楽ではない。

インターネットが社会インフラとして定着し、ユーチューブなどで誰もが〝Ｍｙテレビ局〟を開設できるようになり〝テレビ離れ〟は進んだ。映画などのサブスクリプションサービスも定着して、いまや映像情報は日常に溢れに溢れている。早送りしながら見るという「倍速視聴」という言葉が話題となっているが、映像を選べる時代となってお仕着せのプログラムで放送するテレビを見ない人が増えている。

テレビの場合、さまざまな年代を対象にせざるを得ないこともあって、新聞と同じく若者を中心とした〝テレビ離れ〟が著しくなっている。見たくなる番組が限られているためだ。総務省の資料によれば２０２０年時点において平日1日15分以上テレビを見る割合（平均）は、10代男性が54％、20代男性は49％に過ぎない。若者の〝テレビ離れ〟はテレビ広告市場の縮小につながる。２０２０年の広告費はインターネットが

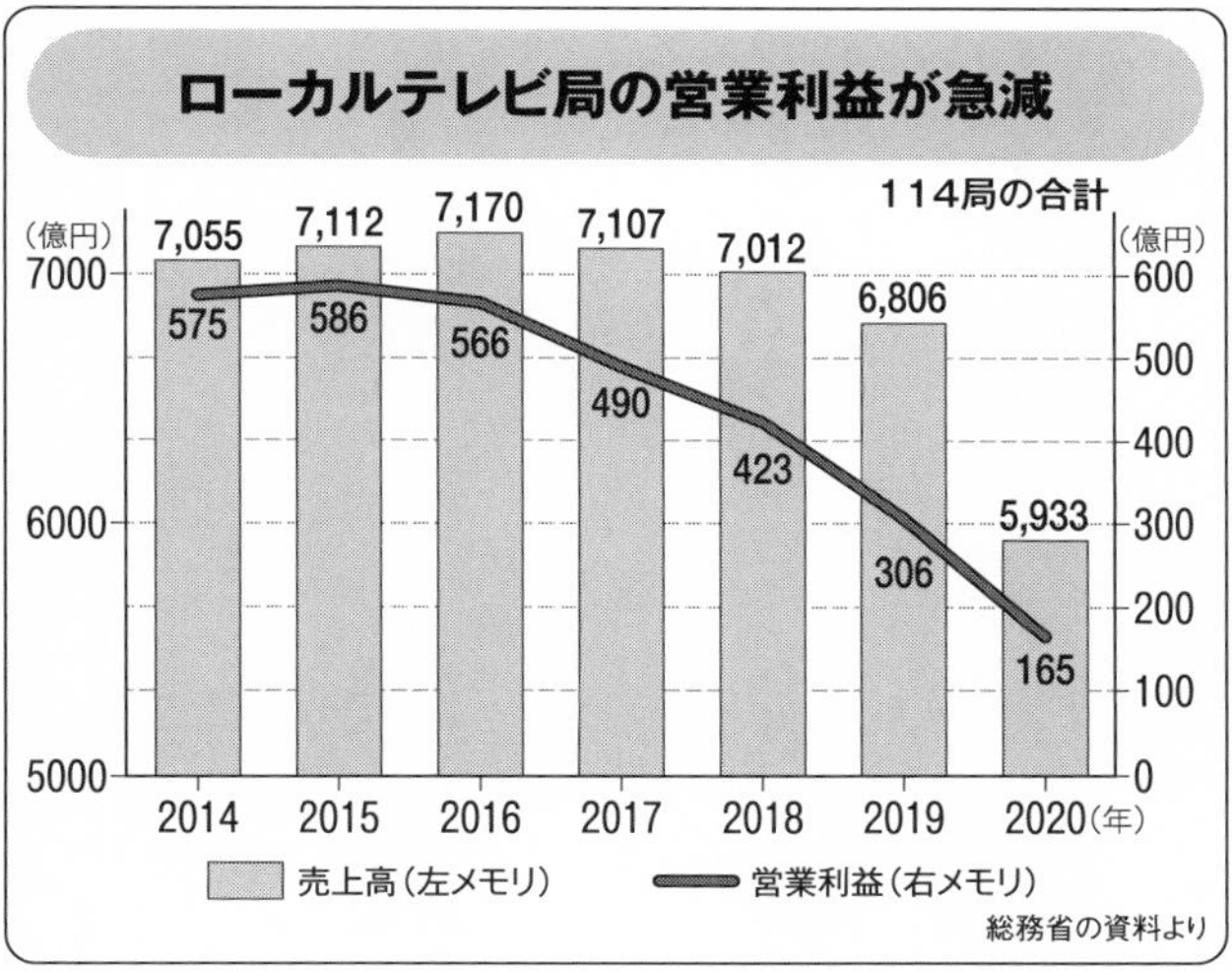

2兆2000億円に対し、地上波テレビは1兆5000億円でかなり水をあけられているのだ。

それは会社全体の収支の悪化となって現れる。総務省の資料によれば、全国114局のローカルテレビ局の売上高は、2014年度の約7055億円から、2020年度には約5933億円に落ち込んだ。単純に平均すれば、1局あたり約10億円の減収である。営業利益は2014年度の約575億円から2020年度には約165億円に落ち込み、1社あたり約5億円から1億円ほどになった。

ローカルテレビ局は、地元の有力企

業やキー局、新聞社の資本が多く投入され、それらとの深い結びつきによって成り立っているため、現時点で相次いで倒産するといった事態に追い込まれているわけではない。

しかも、キー局が作った番組をローカル局が放送すると、その番組のスポンサーがキー局に支払ったCM費の一部を得られる仕組みとなっている。キー局にとってローカルテレビ局は全国ネットワークの生命線であるためだ。全国ネットワークを構築することで、自動車や生活必需品、化粧品といったナショナルクライアントからの広告額を高く維持できている面があり、こうしたビジネスモデルとなっているのである。

だが、先述したようにインターネットや動画配信の普及などによって娯楽が多様化しており、キー局も収入減少や視聴率の低下に悪戦苦闘している。今後はキー局の広告収入のさらなる落ち込みが予想される。このため、ローカル局も自前の広告収入などを増やす必要性に迫られているのだが、人口減少によって地域経済の低迷が顕著になり、自前で広告収入を増やすことは容易でない。数年以内に債務超過に陥るローカル局が出かねないとの見方もある。

局を集約しても問題解決しない

ローカルテレビ局として頭が痛いのは、収入が低落する見込みの一方でコスト増が待ち構えていることだ。十数年すれば放送設備の更新が必要となってくるが、それが経営の重荷になってきているのである。

こうした状況に対して、総務省は「マスメディア集中排除原則」（一事業者による複数の放送局の経営を禁じている原則）など、民放を規制してきた根幹のルールを大胆に転換することで対応する方針だ。

原則各県ごとに分かれているローカルテレビ局を集約すれば、それぞれに必要だった設備費用は軽減される。こうしたコスト削減で、ローカルテレビ局の経営立て直しを促す狙いである。

しかしながら、ローカルテレビ局を集約することで事態がすべて打開できるわけではない。収入が増えるところばかりとは限らないからだ。

ローカルCMの場合、当該県のみで事業展開している地元企業が広告を出していることが多く、放送エリアの拡大によってこうしたスポンサー企業が求める商圏とのミスマッチが起こるとローカルCMそのものの出稿量減少となりかねないためだ。だからといって、苦し紛れにローカルCM料金のダンピングに走ればローカルテレビ局同士での価格競争が始まり、経営は一気に揺らぎ始める。

ナショナルクライアントからの広告出稿にしても、仮にローカルテレビ局が統合によって放送エリアを3県に拡大したとしても、それまでの3県分を足し合わせた広告額を支払い続ける保証はない。むしろ、減らす方向へと行くだろう。

人口減少によるテレビ視聴者数の減少という根本的な減収要因が横たわる以上、ローカルテレビ局の抱える危機的状況は解消し得ないのである。

そもそも、地元資本が複雑に入り組んでいるローカルテレビ局の場合、経営統合すら一筋縄ではいきそうにない。とはいえ、物理的な境界を消滅させたインターネットの登場の前に、都道府県域にとらわれるローカルテレビ局の限界は明らかである。家庭用ビデオの普及と動画配信サービスの急伸で視聴者のテレビライフは激変した。

地方紙やローカルテレビ局は地域に密着したニュースを掘り起こし、地方行政の監視機能を果たしてきただけに、もし、その存在がなくなったり、弱体化したりすることになったなら、地域社会に及ぶ弊害は限りなく大きくなる。

ドライバー不足で10億トン分の荷物が運べない

——物流業界に起きること

やや複雑な「物流クライシス」

日本国内のトラック輸送が〝破綻の危機〟に瀕《ひん》している。需要が輸送能力をオーバーしているためだ。物流は「経済の血液」とも称されるだけに、機能不全を引き起こすことになれば日本経済にとって致命傷となる。

物流クライシスはやや複雑だ。人口減少で国内マーケットの縮小に頭を悩ませる業種が多い中、「輸送能力をオーバーするほどの需要があるというのは羨ましい限りだ」との声も聞こえてきそうである。

だが、運送業を成長産業だととらえるのは早計だ。製造業が海外に拠点をシフトさせたこともあって、国内貨物輸送量（重量ベース）は１９９５年以降、生産年齢人口の減少とともにゆるやかな下落傾向をたどってきている。国土交通省の資料で２０１０年以降を確認すると45億トン前後で推移しており、２０１９年は47億１４００万トンだ。大手を含めて厳しい経営環境に置かれているのである。

将来見通しも明るいわけではない。今後GDPの減少につれて需要はさらに減ると見られており、公益社団法人日本ロジスティクスシステム協会の報告書「ロジスティクスコンセプト2030」は、2030年には45億9000万トン程度に落ち込むと推計している。

15年でドライバー3割減

需要が減少傾向にあるのに、輸送能力が追い付かないのはなぜなのか。

それは需要の減少以上にドライバーが減っているからである。総貨物輸送量のうち9割は自動車が運搬しており、その7割がトラックやライトバンといった営業用貨物自動車だ。運転手不足で、目の前の注文をさばけなくなっているのである。

日本ロジスティクスシステム協会の報告書はドライバー数の将来見通しも推計しているが、2015年の約76万7000人に対し、2030年には32・3%も少ない約51万9000人になるとしている。

ドライバーが不足する直接的な要因は後ほど詳述するが、構造的な問題が不足を拡

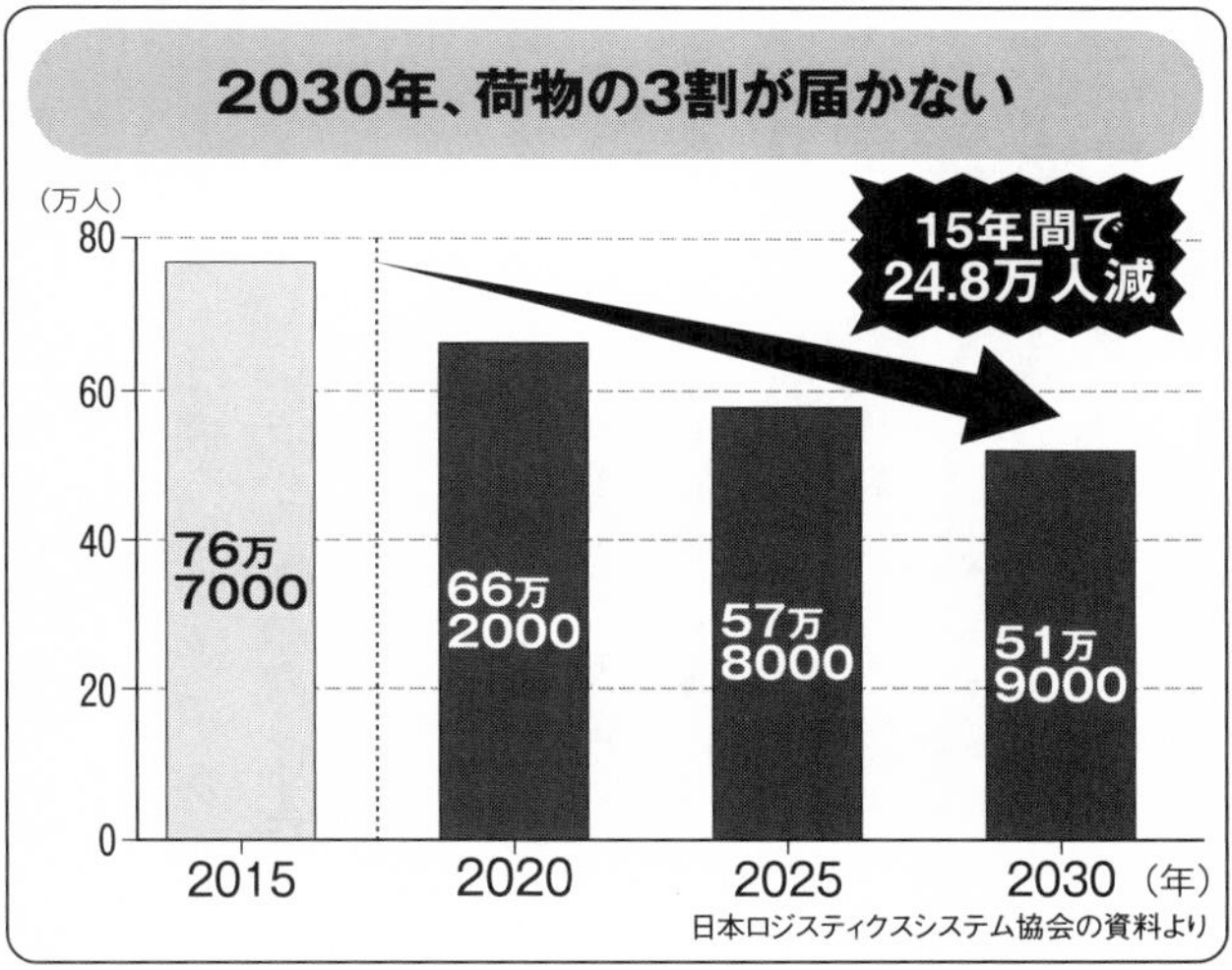

大させている。

近年、トラックやライトバンによる輸送需要を大きく押し上げているのは宅配便の配送だ。

公益社団法人全日本トラック協会の報告書「日本のトラック輸送産業現状と課題２０２２」によれば、インターネット通信販売やテレビショッピングの普及に伴って宅配便の取扱個数は年々増加しており、２０２０年度は約48億個に及んでいる。国内マーケットは縮小していくので、宅配便の需要もいずれは萎むが、高齢者の一人暮らしが増えることもあってしばらくは伸び続けそうである。

宅配便というのは、「着荷主」の中心が個人であるため、配送時に留守であることも多い。企業の大型倉庫に一度に大量の荷物を納入するような効率的な運び方とは異なり、どうしても手間暇がかかるのだ。必然的に多くのドライバーが必要となる。一方で少子高齢化でドライバーのなり手自体は減っているため、宅配にたくさんのドライバーを取られると、宅配以外のドライバーまで確保しづらくなるのだ。

2030年、10億トン以上分の荷物が運べない

宅配ドライバー不足は需要の伸びだけが要因ではない。輸送頻度の増加が不足を加速させている。荷主企業が消費者の要求にきめ細かく応えるべく、「必要なときに必要なだけ届けてほしい」との注文が多くなったためだ。時間指定配送や当日配送といったサービスの高度化に、より一層輸送能力が追い付けなくなっているのである。

輸送サービスの高度化の背景には、付加価値に対する企業の考え方の変化がある。性能や品質、価格優位性といった「商品そのものの価値」だけでなく、商品を届ける上での「利便性」までを含めての付加価値向上を考える企業が増えたのだ。荷主企業には、必要なタイミングで必要な量だけ届けてもらえれば巨大な在庫や保管スペースを抱えずに済

むとの計算もある。運送会社へ支払う経費が多少増えようとも、「配達の利便性」向上で消費者の高評価を得られるメリットやコスト削減効果のほうが大きいということだ。

一方の運送業界は中小企業が多いという事情もあって、各社とも「発荷主」「着荷主」双方の細かな注文に応えようと必死だ。対応できなければ他社に仕事を奪われるとの危機感は強く、厳しい条件の仕事であっても受注する傾向にある。「便利な社会」を実現するためのしわ寄せが、どんどんドライバーへと向かう構図である。そして、それがドライバーの負担を大きくし、退職者を増やすことにつながっている。

物流の需給バランスが崩れることの弊害は大きい。日本ロジスティクスシステム協会の報告書「ロジスティクスコンセプト2030」は、営業用トラックやライトバンによる輸送について供給量不足が拡大していくと見ている。2015年には需要と供給は約29億2000万トンでバランスがとれていたが、需要と運ぶ能力とのギャップは次第に拡大していく。2025年には需要が約31億1000万トンなのに対し約22億6000万トンしか供給できず約8億5000万トンが運べない。2030年には約31億7000万トンの需要に対し供給は約20億3000万トンにとどまり、36・0％にあたる約11億4000万トンが運べないというのだ。

多くの製造コストや宣伝費をかけた商品の3割もが計画通りにユーザーの手元に届かないことになれば、荷主企業が受けるダメージは小さくない。

ドライバーが「不人気職種」である理由

構造的な要因とは別に、ドライバーが不足する直接的な理由もある。

人口減少によってなり手の絶対数が少なくなってきていることもあるが、募集しても集まらないのだ。国交省の資料によれば、貨物自動車運転手の有効求人倍率（2021年4月）は1・89で、全職業の0・95のおよそ2倍となっている。要するに〝不人気職種〟なのだ。

〝不人気職種〟になったのは、待遇や労働環境が悪いからだ。全日本トラック協会によれば、2021年の年間所得は全産業平均が489万円なのに対し、大型トラックのドライバーは463万円、中小型トラックドライバーは431万円である。しかも待ち時間が多いこともあって労働時間が長くなりがちだ。2021年の場合、大型トラックが2544時間、中小型は2484時間となっており、全産業平均の2112時間を大きく上回っている。仕事量に対して十分な人数を確保できないので、ドライバー1人あたりが扱う荷物数は増えていく。そこに「待ち時間」の長さも加わって給与に見合わない激務を強いられることになるのである。

女性の就業者が少ないことも、人手不足を加速させている。2020年の女性ドライバーの割合は3・6％と極端に低い。長距離走行や重い荷物を運ぶ「体力的にきつい仕事」というイメージが敬遠材料となっているものと見られる。

思うように新人が入ってこないと、就業者の高齢化が進む。全日本トラック協会は、2021年に道路貨物運送業（トラック運送業と宅配便業）で働いた人の年齢を紹介しているが、30〜40代が43・2％で、20代は9・0％と1割に満たない。一方、50代が27・6％、60代以上も17・6％を占めている。

このように、日本の物流は中高年が何とかやり繰りしながら成り立たせているのである。このままなら、老後の生活資金を得るために働き続ける60代後半〜70代がドライバーのメイン層となる日も近いかもしれない。

物流業界はどう変わるのか？

物流クライシスに関しては、構造的な問題、採用難に加え、新たに「物流の202

4年問題」の影響も懸念されている。働き方改革として2024年度から、物流業界にも時間外労働の上限規制（労働時間の短縮）が適用されるためだ。先述したように長時間労働が常態化しており、最も影響が大きい業界の一つと見られている。これに合わせて、厚労省は前日の終業時刻から翌日の始業時刻までのインターバルを現行基準より数時間延ばすことを検討しており、人手の不足状況がさらに悪化しそうだ。

物流が滞る事態への危機感を募らせる政府は業界団体などと連携して、積載効率の最適化や無人運転トラックの開発、さらには、人工知能（AI）を活用して輸送ルートや保管場所の最適化を図る「フィジカルインターネット」などの普及を模索している。

もちろん、こうした取り組みも重要だが、どんなに省人化を進めても「モノを運ぶ仕事」から人間をゼロにすることはできない。洗濯機やエアコンのように運ぶだけでなく、取り付けまで行うことを求められる商品が少なくないからだ。

人手不足が極まって、部分的な物流の目詰まりが頻発するようになれば、やがては国内におけるサプライチェーン網を弱体化させる。必要なタイミングで部品や商品が届かない事態が恒常的に起きるようになれば、荷主企業にとっても経営の根幹を揺るがす問題となる。

物流を支える運送会社は「公的サービス」として位置づけるべき社会インフラだが、これまで多くの企業経営者の発想といえば「できるだけ価格の低い運送会社に頼んで、コストを抑えられるだけ抑えたほうがよい」というものだった。

しかしながら、人口減少が進む中で即日配達や時間指定配達で一日に何度も運んでもらうといった〝贅沢な使い方〟が長く続くはずがない。今後は「利益に見合うコストで運んでもらえるのか」と運送会社にお伺いを立てなければならない時代へと変わるだろう。〝物流の破綻〟が現実のものになるとはそういうことである。

もし、お金を積んでも荷物を運んでもらえるとは限らない社会になったならば運送コストは上昇し続け、企業の利益が吹き飛び、あるいはビジネスチャンスを逸することにもなりかねない。そうなれば、ただでさえ縮んでいく国内マーケットをさらに縮小させる。

米国のアマゾンは、物流革命がその国の経済成長のカギを握ることを証明した。だが、日本においては中高年が綱渡りで物流網を何とか維持している現実を直視し、破綻を回避する策を考えなければならない。物流クライシスは差し迫っている。

みかんの主力産地が東北になる日

——農業と食品メーカーに起きること

農家の多くが70歳以上になる

人口減少は、人々が生きていくための基礎である農業も厳しくしていく。農林水産省の「2020年農林業センサス」によれば、農業経営体は2015年の前回調査と比べて30万2000少なくなり、107万6000だ（21・9％減）。

中でも激減したのが、家族経営の「個人経営体」である。22・6％も少ない103万7000に落ち込んだ。個人経営体の減少はそこで働く基幹的農業従事者（主な仕事が農業という人）の減少に直結するが、39万4000人減って136万3000人となった。新規就農者が減る一方で、高齢化に伴う引退者が増加したためだ。基幹的農業従事者の平均年齢は0・8歳上昇し67・8歳となった。

むろん基幹的農業従事者だけが高齢化するわけではなく、雇用者を含む「農業就業者」全体を見ても引退する人は多い。農水省の別資料は、農業就業者が2010年の

219万人から、2035年には142万人へと約35％減ると推計している。規模の縮小もさることながら、注目すべきはその年齢構成だ。142万人のうち49歳以下は31万人にとどまり、70歳以上が61万人を占める。

農林水産政策研究所の「農村地域人口と農業集落の将来予測」（2019年）によれば、農業地域の人口減少は著しい。2045年には、平地農業地域は31・6％減、中間農業地域も41・6％減と、都市部の10・7％減に比べて大きく下落する。高齢化率（65歳以上）も「平地」が43・3％、「中間」は46・9％だ。

農業集落レベルで見ると、さらに深刻な実情が浮き彫りになる。1集落あたり平均世帯数は50戸だが、このうち販売農家（経営耕地面積が30a以上または農産物販売金額が50万円以上の農家）は6戸に過ぎない。調査年前の5年間で8割以上の集落において人口が減り、中山間地域では空き家が激増した。

農業を営む世帯が減ると「寄り合い」の開催が少なくなり、用排水路の保全・管理といった集落活動そのものが停滞する。とりわけ「9人以下」になると集落活動の著しい低下を招くが、こうした集落が2045年には全体の8・8％（山間農業地域は25・0％）を占めると予想されているのだ。

同研究所は、人口が9人以下で、しかも高齢者が過半数を占める集落を「存続危惧集落」と位置付けているが、全国に約14万ヵ所ある農業集落のうち2015年には2353ヵ所だった。これが、2045年には9667ヵ所へ4・1倍に膨らむというのだ。その9割は中山間地域に位置する。農業集落に占める「存続危惧集落」の割合で比較すると、約20％となる北海道をはじめ、石川、和歌山、島根、山口、徳島、愛媛、高知、大分の各県で10％を超える見通しだ。

こうした集落では農業生産はもとより、農地を取り囲む地域社会そのものの維持が見通せなくなる。ところが、農水省の対策は相変わらず水路や農道の維持管理や機械・設備の共同利用、鳥獣被害の抑制など農地をどうするかといった「産業政策」にとらわれている。これでは遠からず日本農業は限界を迎える。

「生産性向上」という道

いま問われているのは農業を続けられるかどうかではなく、子供の通学や年老いた親の通院など農業就業者を取り巻く日常生活自体が成り立ち得るかどうかである。「産業政策」から「地域政策」への転換が急がれる。

農業就業者の減少が避けられない以上、農業ビジネスモデルの転換は避けられない。経営規模が拡大するほど面積あたりの経費は低減することを考えれば、就業者の減少をカバーするには米国のように機械やAIを活用してスケールメリットを図ることだ。自動操舵システムやドローンによる農薬散布で作業時間を大幅短縮した事例も登場している。同時に、収益性の高い作物への転換を徹底することである。大規模化に向かない中山間地域の農地では、とりわけ収益性が重要となる。その上で、流通業や小売業を含むサプライチェーン全体としての生産性向上に取り組むことが必要だ。

農林業センサスを見ると、引退者の増加もあり法人を含む団体経営体は1000増えて3万8000（2・8％増）となった。団体経営体が増加するにつれて大規模化も進むため、1経営体あたりの耕地面積は3・1ヘクタールと、前回調査より20・4％増えた。耕地面積別に経営体の増減率を見ると、北海道では100ヘクタール以上が17・5％増えている。残る46都府県は50〜100ヘクタールが34・5％増だ。

ただし、規模が拡大するにつれて収益性よりも補助金交付額の大きい作物を優先するようになるため、農業経費は一定規模に達すると低減しにくくなる。個人経営体の農地を統合する形で耕地面積の拡大を図るため、農地が分散してしまい非効率となることもマイナス要因だ。こうした克服点も残っているが、成果は現れ始めている。財務省の資料によれば、1経営体あたりの農業所得は平均174万円だが、主業農家は662万円（2018年）で、この10年間で58％増となった。農産物価格の上昇もあるが、経営規模の拡大によるところが大きい。

みかんの主力産地が東北や北陸などへ

日本農業がビジネスモデルを変えざるを得ないのは、農業従事者の減少だけが理由ではない。温暖化の影響も差し迫っている。

国交省の資料によれば、21世紀の日本の年平均気温は20世紀末と比べて最悪3・4〜4・5℃上昇する可能性があるとされるが、ここまで上昇すれば収穫量の減少や品質の低下を招き、栽培適地も大きく変わるだろう。とりわけ西日本各地への影響が大きい。温州みかんの場合、栽培に適した温度域は15〜18℃だが、現在の主力産地の多くは2060年代には18℃より高い温度域へと転じ、温州みかんの主力産地は東北や北陸などへ移るというのだ。米も2031年以降、関東や北陸以西の平野部では高品質のブランド米が作りづらくなると予測している。

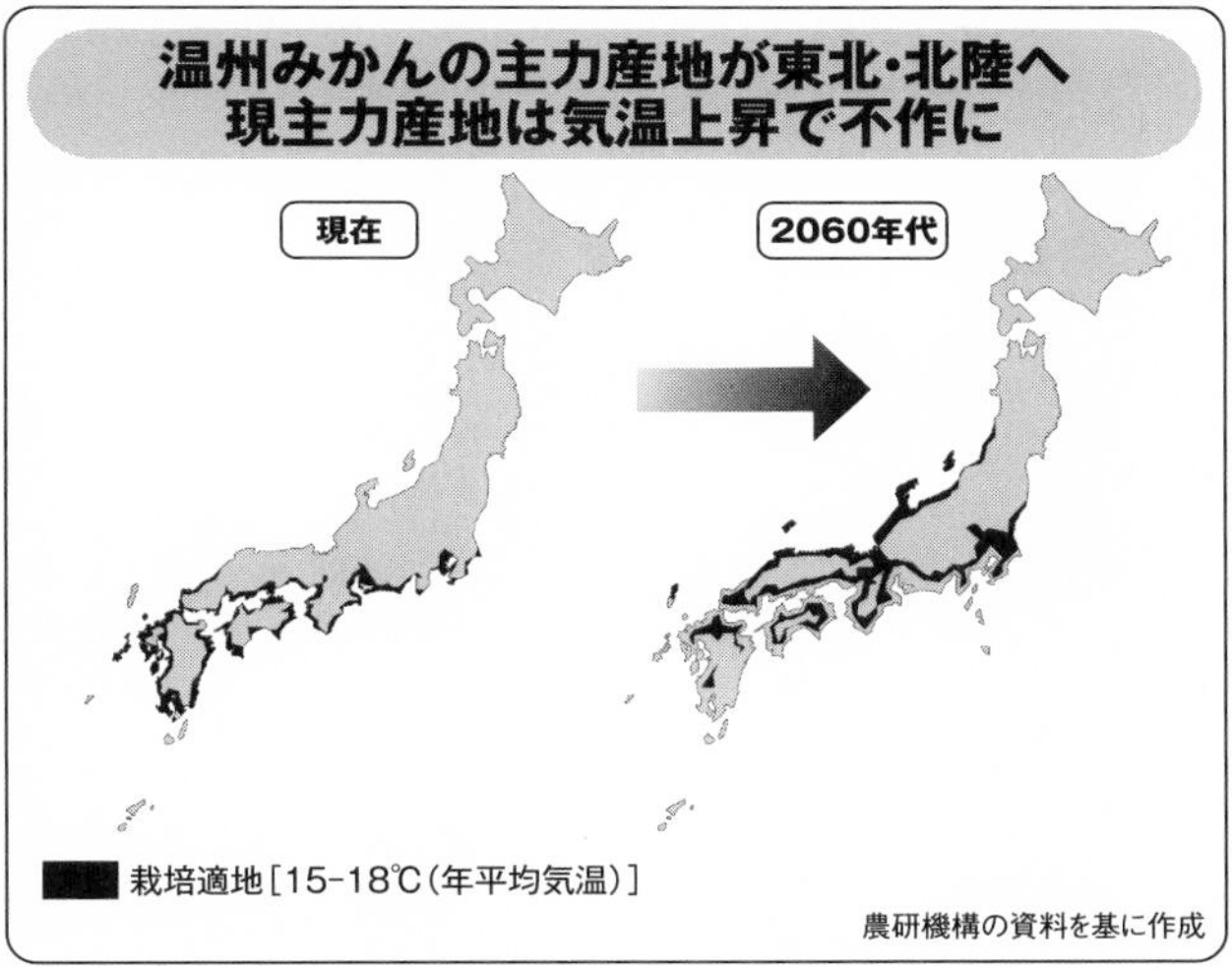

ただでさえ、農業の担い手不足が深刻化していくのに、栽培ノウハウを長年蓄積してきた品種を思うように作れなくなったならば、ますます引退する人が増えるだろう。既存農業を根底から変えるかもしれない温暖化対策を零細な農家が個別に対応するのは無理がある。いまのうちに生産基盤を強化して〝迎撃態勢〟を整えることだ。

農業に関しては、経営基盤の強化策だけでなく、世界的な食糧不足が待ち受けているということも併せて考える必要がある。そのためには、農業だけでなく、食品メーカーなど関連業種も含めた「食品産業」として捉えることが求められる。

日本は「輸入してまで食べ残す国」と言われてきたが、コロナ禍やロシアのウクライナ侵攻による世界的な食料・肥料の高騰で、〝安定的な食料輸入〟がいかに幻想であるかを思い知らされた。これはエネルギーの確保にも言えることだが、世界人口は爆発的に増え続けており、今後の需要はさらに伸びる。長期的に世界規模での不足状況が続くのである。人口減少で経済力が衰えていく日本が、いつまで食料やエネルギーの輸入大国でいられるか分からない。言うまでもなく、食料確保は安全保障戦略の主柱だ。農業基盤の強靭化は国家的課題でもある。

農水省によれば、2020年度の日本の食料自給率は「カロリーベース」で過去最低の37%となった。国際的に主流の「生産額ベース」で見ても67%にすぎない。自給率向上が求められるが、勤労世代が不足していく日本において食料を増産することは簡単ではない。しかも、山地の多い日本では農地に適した土地は限られているという地形的な制約もある。農地面積のパイが限られる以上、例えば小麦などの国内生産を増やせば、その分だけ既存の品目を減らさなければならなくなるのである。

こうした状況で生産量を増やすには、耕作放棄地を〝現役の農地〟としてよみがえらせることだが、宅地などへの転用で戻せる土地は減り続けている。2021年の農地面積は435万ヘクタールだ。最大だった1961年と比べて約174万ヘクタール減少した。20年の荒廃農地面積は28・2万ヘクタールに及んでいる。農用地区域だけでも13・6万ヘクタールで、このうち8・1万ヘクタールは再生利用が困難とされる。こうした動きを少しでも食い止めるためにも、農業の大規模化が急がれる。

毎日1人茶碗1杯分のご飯を捨てている「食品ロス」

だが、視点を変えれば見える未来は多少違ってくる。人口が急減し、しかも高齢者が増えていけば国内の食料需要も減っていく。いたずらに輸入量や生産量を増やさなくとも、ある程度は自給率が自然上昇する可能性があるということだ。

食料確保策としては、食生活の見直しや食品ロスの削減という方法もある。食料自給率を品目別に見ると、カロリーベース（2020年度）でも米は98％、野菜は76％、魚介類は51％である。日本の自給率の低迷は食生活の急速な欧米化によるところが大きいのだ。国内生産されている食材を使って料理するだけで自給率は改善する。

食品ロスについてもかなり改善の余地がある。農水省によれば2019年度の食品ロスは５７０万トンに上るが、これは１人あたり毎日茶碗１杯分のご飯を捨てているのとほぼ同じ量だ。５７０万トンのうち生産や流通過程で廃棄される事業系食品ロスが54％、各家庭で食べ残されるロスが46％である。

だが、食品ロス削減の取り組みを見ると、〝自己満足〟で終わっているケースが多い。典型的なのが堆肥へのリサイクルだ。「自分の食べ残しを無駄にせずに済んだ」ということだろうが、その堆肥に需要がなければ「捨てられる食品」が「捨てられる堆肥」へと姿を変えるだけである。求められるのは、食べ残さない工夫だ。

これから農業生産者や食品メーカーに求められること

それには食品メーカーの発想転換も重要となる。人口減少社会においては食料の「保存」と「的確な流通」がポイントだ。

注目したいのが、生産や食品自体にテクノロジーを活用するフードテックだ。人工肉や昆虫食材が代表例として挙げられることが多いが、植物工場などの生産段階から食材流通、調理まで幅広い分野での新技術開発や実用化の動きが広がり始めている。

ＡＩに制御された植物工場は24時間稼働が可能で、過剰生産や天候不順による被害を防ぐ。需要に応じた効率的な配送まで一貫して実現できれば食品ロスを削減できるだけでなく、人手不足の解消にもつながる。

食材の長期保存を可能とする技術も期待される。高齢者の一人暮らし世帯が増え続け、食べ切る前に味が落ちたり、傷《いた》んだりして捨てられることが少なくない。冷凍技術や保存パックなどの開発・改良は進んできたが、ＡＩで食材ごとに管理できれば捨てられる量をさらに減らすことができるだろう。

これまでの農産物や加工食品は「おいしさ」や「見栄え」が価値を向上させる大きな要件となってきたが、これからは、そうした要素に加えて長期にわたって鮮度が落ちないようにする革新技術が必須となる。農作物の品質改良であり、保存方法の開発である。食品メーカーの場合、人口減少に伴う国内マーケットの縮小が売り上げ減に直結しやすい。活路を見出すためにも、新たな付加価値は重要となる。

例えば、レタスをシャキッとした食感のまま、地球の裏側にある国々の食卓にまで届けられるようになれば、高付加価値農産物として海外需要も見込める。食料安全保障上の危機を単なる食料自給率向上に終わらせるのではなく、日本農業と食品産業の飛躍につなげるチャンスとすることである。

30代が減って新築住宅が売れなくなる
——住宅業界に起きること

なぜ住宅需要は目減りしないのか

空き家問題が深刻化しているというのに、新築のマンションや一戸建て住宅の建設が続いている。

何とも不経済に思われるが、住宅メーカーや不動産会社にしてみれば「顧客の需要があるのだから、物件を提供するのが住宅企業としての社会的責任だ」ということだろう。人口減少という長期スパンの課題と、足元で起きている課題とを一度に解決することの難しさがある。

「住宅市場に関しては、人口減少と歩調を合わせて需要が減っていくわけではない」との見方がある。人口が減少しても世帯数は増えていることが根拠だ。だが、世帯数を押し上げている要因を分析するとかならずしもそうとは言い切れない。

世帯数を押し上げているのは一人暮らしだが、その多くは住宅を新規に取得するとは言い難い高齢者だからである。２０２０年の国勢調査を見てみると、一人暮らし世帯の総数は２１１５万１０４２世帯（一般世帯の38・0％）で、このうち65歳以上が６７１万６８０６世帯と約３割を占めている。

むしろ、30代〜40代といった住宅購買年齢層の減少ほど住宅需要が目減りしない理由は、相続税対策需要の高まりだ。

不動産を取引する際の時価（実勢価格）より相続税がかかる基準となる価格（相続税評価額）が低いことから、相続税の負担を減らす節税方法として不動産の購入は広く知られている。地方に住む富裕な高齢者が東京や大阪の中心地にあるタワーマンションを購入するといった例は珍しくない。

相続税対策を考える客層の取り込みを競う不動産会社は営業を強化しており、こうした富裕層の動きは、投機家による買い占めと並んで都心マンション価格の異常なまでの高騰を招く一因ともなっている。

今後30年で30代前半が３割減

だが、住宅を購入する若い世代が減る以上、いつまでも新規の住宅数を増やし続けることはできない。

国交省の資料によれば、持ち家の保有率は29歳までの9％に対して、30代が24％、40代が49％だ。結婚などを契機として30代で住宅取得を考え始める人が多いということである。

だが、先述した通り、30代前半は今後30年で約3割少なくなる。これは、ほぼ「確定した未来」だ。

そうでなくとも、これから住宅を取得する年齢となる若者の間ではシェアリングエコノミーが定着してきている。少子化で相続人が少なくなり、一人で何軒もの住宅を相続する見通しとなっている若者も少なくない。需要はどんどん減っていくのである。

晩婚化で新築より中古に目が向く人が増える

しかも、新築住宅に関しては晩婚化が押し下げ要因になりそうである。住宅はローンを組んで購入する人が大半だ。月々の返済額を考慮すれば若いほうがローンを組みやすい。ところが、住宅取得年齢が晩婚化で40代半ば以降となれば、月々の返済額が大きくなるので取得する物件の価格の方を抑え込みたいという人の割合が相対的に増える。新設住宅よりもリーズナブルな中古住宅へと目が向く人が増えることとなるだろう。

実は、これまでも新築住宅の着工戸数は多少の変遷を重ねながら減少カーブを描いてきていた。30代前半の減少に晩婚化の影響が加わって、今後は新築住宅の取得者はさらに下落の道をたどることになるだろう。

野村総合研究所の推計（2022年）は、新設住宅の着工戸数は2021年度の87万戸から、2030年度は70万戸、2040年度には49万戸へと減少していくと見込んでいる。2030年度の利用関係別の推計は、持ち家（自分が居住する目的で建築する物件）25万戸、分譲住宅（建て売りまたは分譲目的で建築する物件）17万戸、給与住宅を含む貸家（賃貸する目的で建築する物件）28万戸だ。新築といっても、自宅として建てる人は案外少ない印象である。

一方、野村総研は、中古住宅の流通量も予測しているが、2018年の16万戸から、2030年に19万戸、2040年には20万戸へとゆるやかだが増加するとの予測だ。

ただし、晩婚化で増加すると言っても「横ばい」と言っていいほどの増加率である。新築住宅の着工戸数の目減り分を補うほどの規模とはならないのは、住宅を購入し始

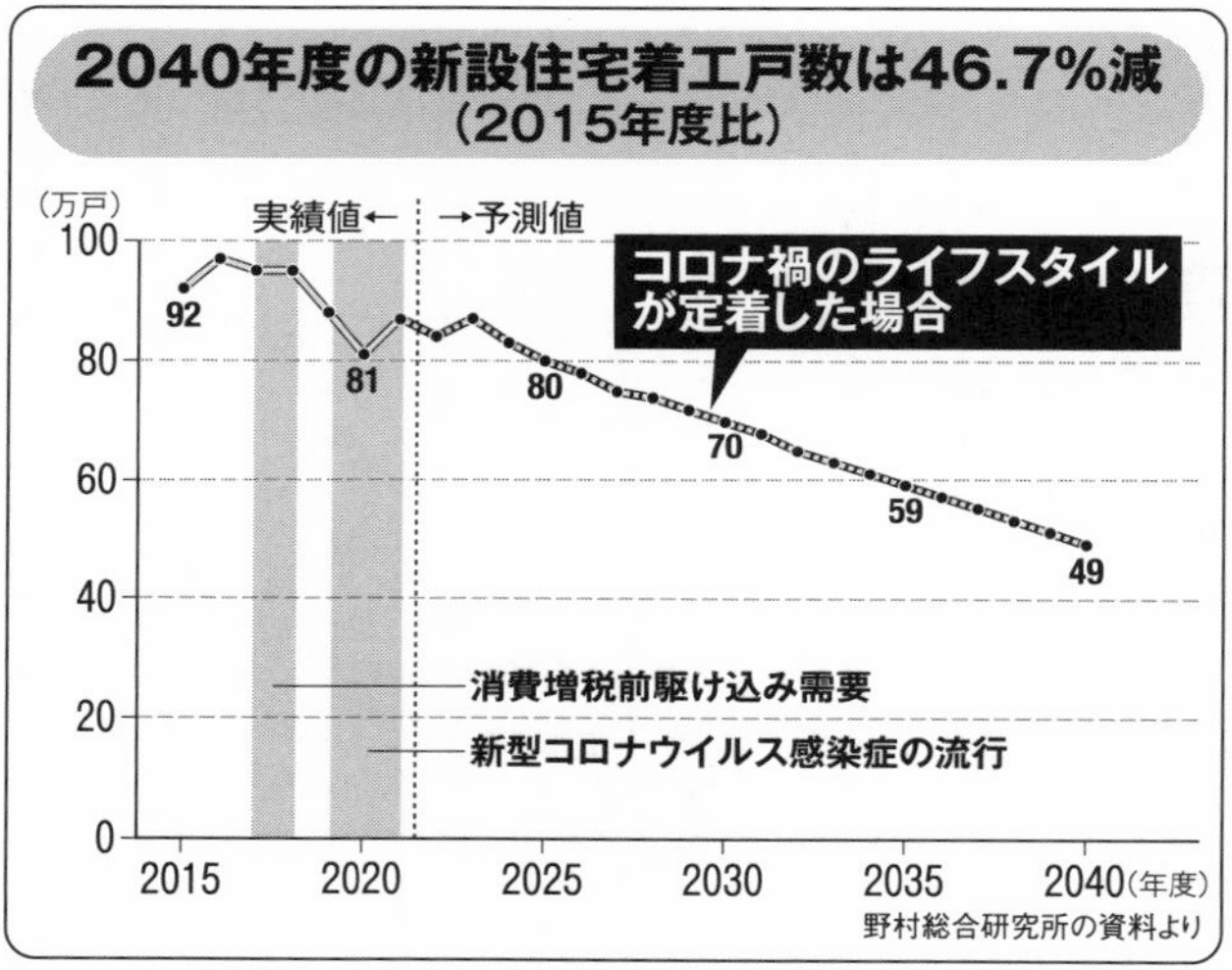

める30代〜40代の減り方が大きいためである。新築か中古かの区別とは関係なく、住宅取得の総数が全体的に減っていく。

150万戸の空き家再生

今後、新築物件を減らす要因は、既存の中古住宅市場における取引の活性化だけではない。新たな要因となりそうなのが空き家の再生である。

政府は活用を進めていく方針だ。国交省の資料によれば、簡易な手入れによって活用可能で、しかも最寄り駅から1キロメートル以内という空き家は全国に約50万戸（一戸建て約18万戸、共同住宅等が約32万戸）ある。

最寄り駅から1キロメートル以内の好立地だが腐朽破損しているものが約46万戸、耐震性不足の物件が約56万戸ある。これら約102万戸を合わせた約152万戸について、政府は改修や建て替えなどを施して「住宅」として蘇らせることを想定している。ますます新築物件の建築数を押し下げることになろう。新築需要が少なくなれば不動産の資産価値そのものが下落する可能性も出てくる。

住宅取得年齢層の縮小に加えて、「空き家」の再生が本格化してくると、新築物件を主力としてきた住宅メーカーや不動産会社は収益モデルの見直しを迫られる。中古販売をこれまで以上に強化しなくてはならなくなるだろう。他方、中古住宅市場の活性化は、リフォームの市場規模の拡大につながる。野村総研はエアコンや家具、インテリア商品の購入費などを含めたリフォーム市場は年間7兆〜8兆円台で推移すると見積もっている。

人口減少は、住宅メーカーや家具メーカー、不動産会社など「住まい」に関係する各産業の役割を大きく変えていく。

住宅選びはどう変わるか

空き家は地域全体の景観を損ない、地価の下落を引き起こす。犯罪者が隠れ家のように利用したり、火事や老朽化した壁などが落下して思わぬ事故を引き起こしたりする恐れもある。老朽化したマンションの空き部屋の増加は、建物のメンテナンスを困難にさせ、住み続けている人々の生活を脅かしている。いずれも放置できない社会課題だ。住宅産業に影響を及ぼすからといって、空き家の再生は止めるわけにはいかないのである。

そうでなくとも地方では人口密度の低いエリアが広がり、行政サービスや公的サービスをどう届けるかが課題となり始めている。日本人は〝新築信仰〟が強いとされるが、人口減少社会において宅地を開発して都市を膨張させ続けることはできない。

それは「住まい」としてだけでなく、「街づくり」の視点ももって住宅選びをしなければならない時代に変わってきているということでもある。今後は築年数だけでなく、立地や建物の性能、地域コミュニティーの有無といった要素も含めた総合的な視点をもって住宅の価値を評価することが求められる。

老朽化した道路が直らず放置される
——建設業界に起きること

この30年で建設投資は20兆円減少

建物や建築物というのは完成したら終わりとはいかない。完成後にこそ真価が問われる。だが、どこまで人口減少による将来的な需要減を織り込んでいるのかと心配になるビルや商業施設、道路などが少なくない。

国交省によれば、建物や建築物の生産高である建設投資は１９９２年度の約84兆円がピークだ。２０２１年度は58兆４０００億円となる見通しで、ピーク時より30・５％減である。生産年齢人口（15歳〜64歳）がピークを迎えたのが１９９５年なので、おおむね生産年齢人口の減少に歩調を合わせるように縮小を続けてきたということになる。

一般財団法人建設経済研究所の「建設経済レポート」（２０２２年3月）によれば、建築工事受注高も長らく減少傾向にあった。２０１２年度以降は景気回復に伴って増加傾向に転じたが、２０１８年度で再び頭打ちとなっている。土木工事も２０１８年度以降は準大手や中堅の受注高が減っている。

本格的な人口減少社会を前にしてすでに縮小傾向を示し始めている建設業だが、生産年齢人口は今後急カーブを描きながら減少していく。普通に考えれば、建設需要が現行水準を維持することは考えづらい。

老朽化による政府投資の拡大

しかしながら、建設業の場合には明るい材料がある。政府投資の拡大が見込まれるのだ。社会インフラの多くが高度経済成長期以降に整備されており、老朽化が目立つようになってきた。更新が喫緊の課題となっている。

例えば、全国に約72万ヵ所ある道路橋梁の場合、建設後50年を経過する施設の割合は、２０１９年３月時点の27％から、２０２９年３月には52％へと跳ね上がる。トンネルや港湾岸壁、水門といった河川管理施設なども大規模に手を入れなければならない時期を迎えている。いずれも国民の安全・安心確保や社会経済活動の基盤となっている。人口が減るからといって朽ちるに任せるわけにはいかない。

社会インフラの更新には相当な時間と膨大な予算を要するので、民間投資の縮小を幾分かはカバーするだろう。

国交省は生産性向上を解決策とするが……

むしろ、建設業にとっての人口減少の影響は、就業者の減少という形で色濃く表れる。かねてより人集めに苦労してきた業界だ。少子化に伴う若い世代の減少スピードは速く、このまま〝不人気職種〟から脱することができなければ、採用難はさらにひどくなる。人手不足で受注したくてもできないということになれば、人口減少による国内マーケットの縮小を心配しているどころではなくなる。

国交省は建設業の人手不足に関する将来推計をしているが、建設業就業者はコロナ禍前の2018年度時点で、すでに前年度の331万人より約2万人少なくなっている。こうした状況に加えて、建設業も2024年度からの改正労働基準法の適用に向けて時間外労働の上限規制にも考慮しなければならない。建築投資が2017年度と同水準と仮定した場合、製造業を下回る労働時間（5年で5％減少）とするためには新規に16万人増やす必要があるというのだ。さらに、推計は外国人労働者について3万人ほど少なくなると試算している。合計すれば、2023年度までに約21万人を確保しなければならない。

しかしながら、新規学卒者だけでは賄いきれない。総務省の人口推計によれば2021年10月1日現在の20歳男性人口は59万9000人だ。女性を含めても116万9000人である。各業種による〝若者争奪戦〟は激化の一途だというのに、建設業だけで20歳男性人口の3分の1を確保するというのは、さすがに無理がある。

そこで、国交省は解決策も示している。まずは、建設現場の生産性を年間1％向上させることで16万人分の人手を確保したのと同じ効果が得られるという。さらに新規学卒者を1万5000人採用し、それでも足りない分については、外国人労働者を約3万5000人受け入れるという案だ。生産性の向上には、点検の効率化、データの整備・利活用、修繕における新技術や新材料の活用が必要だと付け加えている。

労働時間は長く、賃金も低い

だが、国交省の皮算用通りにいくとは限らない。国交省の別の資料によれば、働き方がなかなか改善しない実態が浮き彫りになっている。

建設業における2021年の年間実労働時間は1978時間で全産業の1632時

間と比べて346時間、率にすると21・2％も長い。1997年度と2021年とを比較すると、全産業が225時間短縮したのに対し、建設業の短縮は48時間だ。

休日状況も建設業全体で見ると36・3％が「4週4休以下」となっている。「4週8休」の週休2日となっている人は19・5％に過ぎない。

技能労働者（建設工事の直接的な作業を行う人）の賃金も低い。2019年で比較すると、全産業の男性労働者が560万9700円なのに対し、建設業の男性技能労働者は462万3900円に過ぎない。

建設業の就業者は、政府による公共事業予算の抑制方針に伴い1997年の685万人をピークに減少した。2011年以降は建設投資が拡大する中でもほぼ横ばいをたどっており2021年の就業者数は482万人でピーク時と比べて29・6％少ない。技術者（施工管理を行う人）は1997年の41万人から2021年は37万人、技能労働者は455万人から309万人へとそれぞれ減った。

受注高が減った時代に他業種に流出した人たちが戻っていないのだ。加えて、「雇用環境が劣悪」との印象が定着し、新規に就業する若者が増えないのである。就業しても辞めてしまう人も少なくない。少子化で若者の絶対数が減っている上、仕事が肉体的にきつく、体力的に長く働けないというイメージがあることも若者を遠ざける要因となっている。とりわけ不足しているのが、若い施工管理技士だ。建設現場には不可欠な存在であり、このままベテランが引退していけば建物を建てることが難しくなる。

２０４０年にかけて人材が４割減

独立行政法人労働政策研究・研修機構の推計によれば、鉱業および建設業の就業者数は２０１７年から２０４０年にかけて約４割減少する。

厚労省の「労働経済動向調査」でも、人手不足を示す指標の「ＤＩ」（「不足」と回答した事業所の割合から、「過剰」と回答した事業所の割合を差し引いた値）は、建設業では２０１２年から人手不足を示す正の値となり、全産業の平均を上回っている。２０２０年は全産業の平均よりも22ポイントも高い46ポイントに達した。人手不足が極めて深刻であることを示す数字だ。

建設業就業者の高齢化は進んでいる。２０２１年は55歳以上が35・５％を占め、全体の３分の１となっている。一方で、29歳以下は12・０％にとどまっているのである。全体の25・７％を占める60歳以上の技能労働者の大半が今後10年で引退すると、熟練

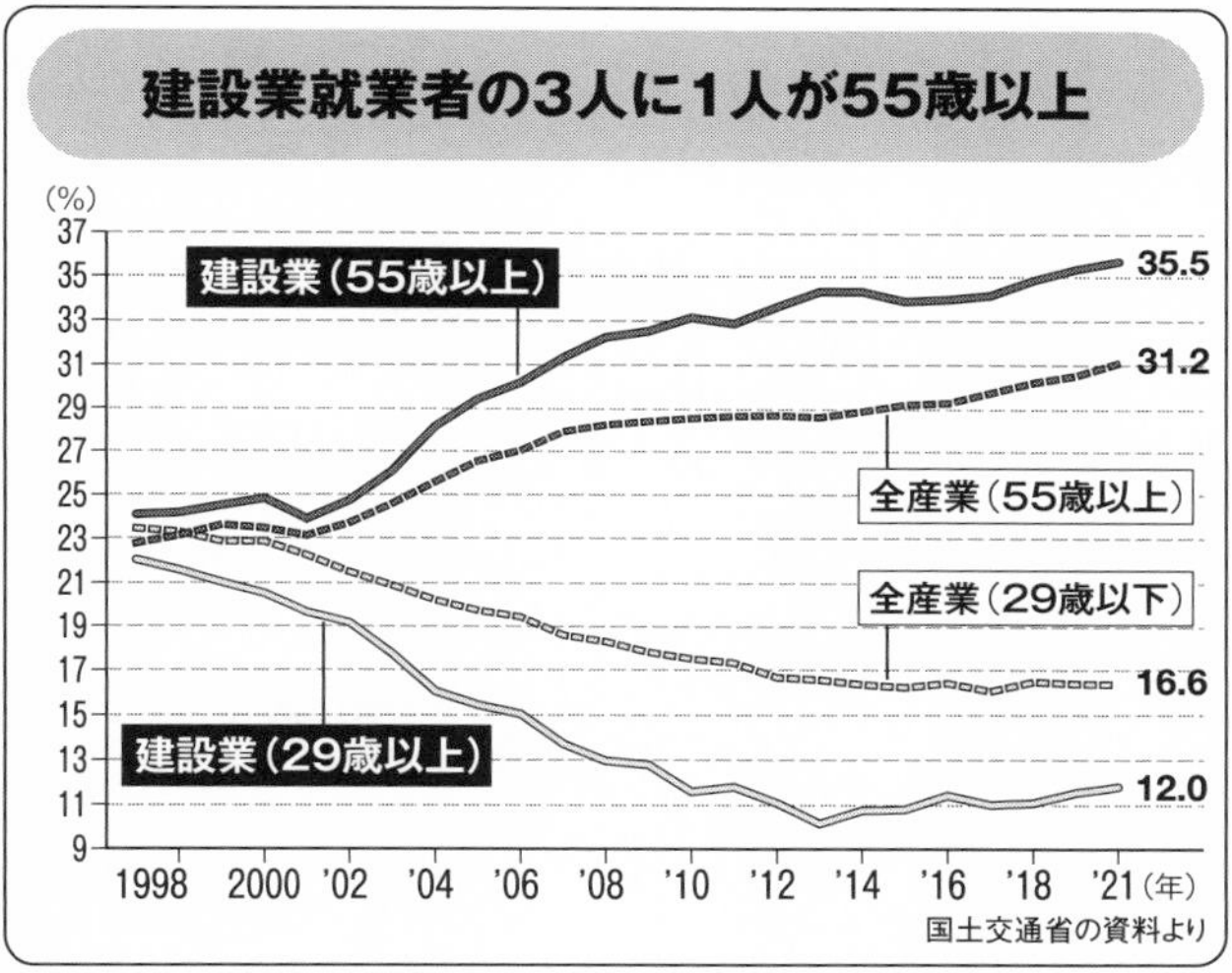

した技術も消えていく。現在の人手不足は、同時に将来的な懸念を内在しているのである。

外国人労働者は本当に来てくれるのか

こうなると、頼みの綱は外国人労働者ということになる。とりわけ若い世代の減少が著しい地方で期待が大きい。

厚労省の「『外国人雇用状況』の届出状況まとめ」（２０２１年10月末現在）によれば、建設業に従事する外国人労働者は11万18人だ。２０１７年の５万５１６８人に比べると倍増している。だが、急増の背景には東京オリンピック・パラリンピックがあった。一時的な建設需要増に対応するために、技能実習を修了した外国人労働者の在留資格を特例的に2年もしくは3年の期限付きで認めたためだ。オリンピック・パラリンピックにおいては建設期限が差し迫っていたこともあり、働く側としても〝割のいい仕事〟であった。コロナ禍で帰国したくともできなかったという事情も重なり、日本に滞在し続けた外国人労働者が多かったのである。

オリンピック・パラリンピックによる建設特需が終わった後も、日本政府は外国人労働者の受け入れ拡大に向けた政策の強化を図っている。

だが一方で、「WITHコロナ」政策をとる国が大勢となり、各国で外国人労働者の受け入れニーズは高まっているため、日本の建設業が必要とする規模の外国人労働者が、どれくらい来るのかは読み切れない。

もし、老朽化した社会インフラの更新が遅れ、思わぬ事故や不具合が生じたならば、社会経済活動に支障をきたす。建設業の人手不足は、建設会社の経営問題にとどまらない。

駅が電車に乗るだけの場所ではなくなる
——鉄道業界に起きること

2040年頃、通勤・通学定期券客が2割減

２０２２年は、鉄道開業１５０年の節目の年であった。新橋—横浜間29キロを蒸気機関車が初めて走ったのは１８７２年10月14日のことだ。以来、鉄道は日本経済および日本人の暮らしの向上に大きく寄与してきたが、人口減少は鉄道事業を開業以来最大の危機に追い詰めつつある。

東京圏や大阪圏を走る通勤路線も決して安泰ではない。大都市圏も人口が減少局面に転じ始めている。東京都総務局統計部の推計によれば、東京都の人口も２０２５年に１４２２万５３６３人でピークを迎える。運賃収入の永続的な減少は避けられそうにない。

少子化の加速で若い世代ほど減り方が速いことを考えれば、影響が真っ先に表れるのは子供向け運賃収入や通学定期券収入となる。

通学定期券客の該当世代がどれくらい減るかは、年齢別人口を比較すれば概《おおむ》ね見通せる。東京都で見てみよう。都総務局統計部の「住民基本台帳による東京都の世帯と人口」（2022年1月1日現在）によれば、高校生や大学生の大半が該当する15～24歳は129万6818人だ。これに対し、「15年後の15～24歳」にあたる0～9歳は105万3777人なので19・0％少ない。

この年齢層の人々がすべて電車通学となるわけではないが、単純に考えれば15年後の通学定期券客は現在より約2割少ない水準となるということだ。

運賃収入の主柱である通勤定期券客の減少幅も大きい。総務省の人口推計（2021年10月1日現在）によれば、勤労世代である20～64歳は6892万4000人だ。0～44歳は5508万9000人なので「20年後の勤労世代」も現在より2割減る。むろん全員が大都市圏の通勤定期券客とはならないが、人々の行動パターンがこれまでと大きく変化しなければ2040年には通学定期券客と同じく2割近くは減ることになる。

オフィスの空室率がいまだ高水準

これにコロナ禍の爪痕が加わる。コロナ禍による鉄道利用者の落ち込みは一時的なものだ。2022年になって「WITHコロナ」が定着してきたこともありかなりの回復傾向が見られる。とはいえ、コロナ禍前の水準に完全に戻ったわけでもない。通勤・通学時間帯の混み具合を調べた国交省の「都市鉄道の混雑率調査」によれば、2021年度は東京圏108％、大阪圏104％、名古屋圏110％である。コロナ禍前の2019年にはそれぞれ163％、126％、132％だったことを考えれば、通勤・通学客の回復の道のりは平坦とはいかなそうだ。鉄道会社の経営が受けた傷は思いのほか深い。

利用客が完全回復しない理由の1つは、テレワークの定着だ。「出社型」に戻す企業もあるが、オフィスの空室率は高水準で、すべてが元通りとはいきそうにない。オフィスビル仲介大手の三鬼商事によれば、東京都心5区（千代田区、中央区、港区、新宿区、渋谷区）の2022年10月の平均空室率は6・44％と高止まりしている。「空室率5％」がオフィスの供給過剰の目安とされるが、はるかに上回る数値で推移している。

爪痕はこれだけではない。通勤・通学定期券客と並ぶ主要な収益源である新幹線や長距離特急電車のビジネス利用者が本格回復しそうにないことだ。出張利用が、コロナ禍とは関係なく減っていきそうなのである。

コロナ禍が長期化するうちに、わざわざ社員を遠方まで出張させなくとも、オンライン会議で大半は事足りることが広く知れ渡ったためだ。オンライン会議にすれば、出張費の抑制効果が大きいだけではなく、従業員が往復に費やしていた移動時間を他の仕事に振り向けさせることも可能だ。人手不足対策ともなり、企業にとってはダブルのメリットがある。

一方、出張利用の手控えは鉄道会社にとっては運賃収入の減少を招くだけでなく、直営ホテルや長距離バス、タクシーなどの利用率も下げるだけに深刻だ。

「鉄道利用者2割減」というシナリオ

人口減少の影響にテレワークの普及に伴う引き下げ効果が加わったのでは、定期券収入はさらに落ち込む。

東京都市圏交通計画協議会が東京圏に茨城県の南部を加えたエリアを「東京都市圏」と位置付け、複数のシナリオを用いて2018年と比べた2040年の鉄道利用者数を推計している。「2018年型社会」（コロナ禍前の人々の行動パターン）が今後もずっと続けば6・2％減にとどまるものの、テレワークが進んで就業者の通勤が減少した場

テレワークで3人に1人は通勤せず

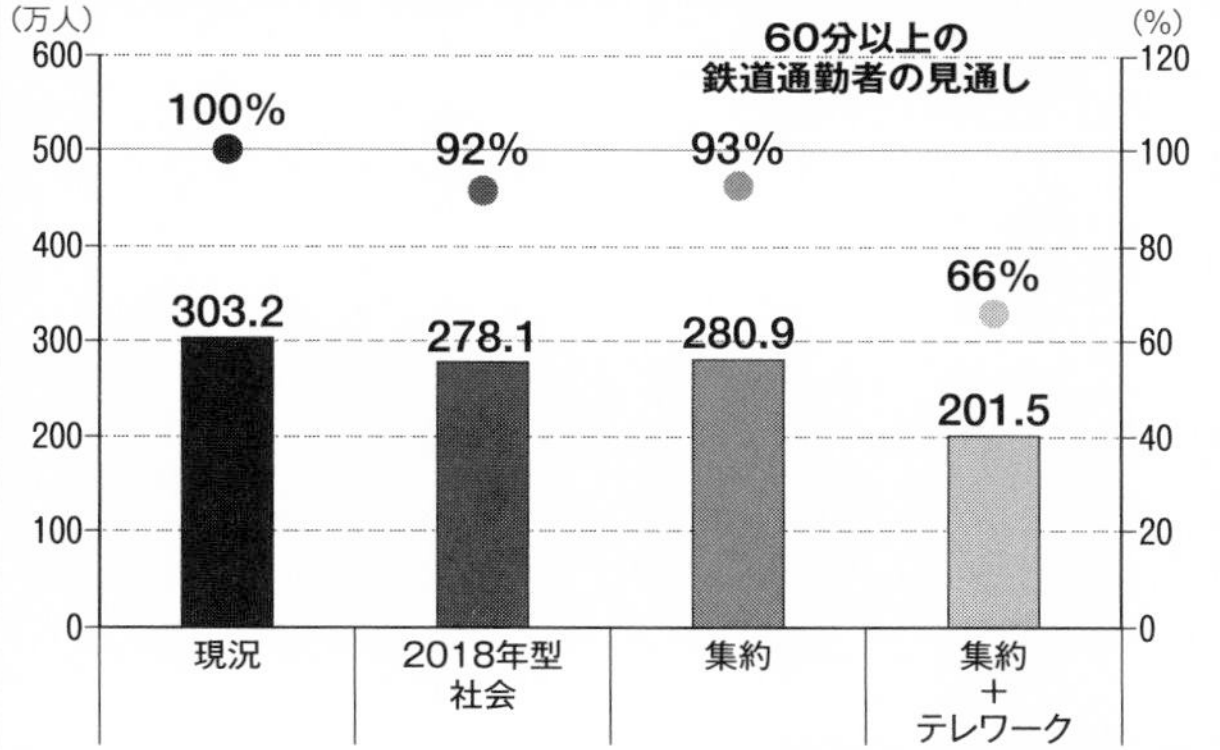

東京都市圏交通計画協議会の資料より

合には21・4％減になるというのだ。

もちろん、鉄道各社は人口減少による人手不足や運賃収入が伸び悩むことを念頭に取り組みを強化している。目立つのは事業の効率化だ。

例えば、平日朝の通勤ピーク時間帯を避けて利用すれば料金を割り引く「オフピーク定期券」を導入する一方、通常の定期券料金を現行より値上げしようという動きがある。これはピーク時間の利用者が減れば、列車の運行本数や駅員も減らせることをにらんだものだ。

ＪＲ東日本は中長期的な運転士不足を想定して山手線の営業列車における

自動運転の実証運転を開始した。技術面や営業面で鉄道会社同士の連携や協力も広がっている。

一方で、通勤の利便性向上や駅周辺の大規模開発といった古き鉄道ビジネスモデルにしがみつく事例も残っている。

都心から遠く離れた郊外駅の周辺ではいまだに大規模なマンション開発が見られるが、勤労世代が急増していた昭和時代にタイムスリップしたかのような錯覚さえ抱く。沿線の魅力を高めることで他社の沿線エリアから人口を引き寄せ、乗客の目減りをカバーしようということだろうが、高齢化が進む人口減少社会においては沿線住民の争奪戦は長続きしない。

それどころか、東京都では地下鉄の延伸や羽田空港と都心部を結ぶ新規路線などいくつもの計画がなされている。栃木県宇都宮市ではＬＲＴ（次世代型路面電車システム）の開業を控えている。「東京などでは輸送力がまだまだ足りない」という専門家の声もあるが、現時点での混雑緩和の要素が大きく、人口減少後の需要をどの程度見込んでいるのか心配である。見込み違いとなれば、維持コストが長期にわたって経営にのしかかる。

２０４０年、東京と大阪で３割が高齢者に

大都市圏の通勤路線は転換点にある。これまでは郊外から中心市街地のオフィス街にいかに効率よく大量に輸送するのかが問われてきた。通勤に便利な場所の地価が上昇し、そうしたところに鉄道会社のグループ会社が住宅を開発するというビジネスモデルが成功してきた。このため、郊外へと都市は肥大化を続けてきた。

しかしながら、今後は大都市近郊の衛星都市で75歳以上人口が急速に増え始める。かつて満員電車で通勤した昭和世代は郊外に自宅を構えており、そこで老後を過ごすためだ。単に高齢者が多くなるだけでなく、一人暮らしや外出に手助けを必要とする人も増える。

東京都も大阪府も高齢者が激増する。社人研の将来推計によれば２０４０年には東京都の高齢化率が29・０％、大阪府では34・７％に達する。交通の便の悪い地区に住む高齢者は自宅周辺で過ごすことが多くなりがちだが、東京都市圏交通計画協議会の資料によれば、プライベートの用事をマイカーで済ませる65～74歳は、２００８年と２０１８年の比較で１・２６倍、75歳以上では１・５倍に増えている。社会が高齢化する

に伴い、大都市圏においても毎日鉄道に乗る必要のない人は確実に増えていくだろう。

加えて、先述したようにテレワークが普及してきており、勤労世代にも衛星都市で一日の大半を過ごす人が多くなっている。衛星都市の役割が「ベッドタウン」から「仕事も趣味も生活も楽しむ街」へと大きく変わりつつある。

これまでは通勤・通学客にとって、「利便性」というものが大都市圏の鉄道会社への大きな評価基準であったが、今後は「地域内の移動手段」としてのニーズも大きくなる。「住みやすい街」づくりに主体的に参加する鉄道会社が評価されることとなるだろう。

駅は「電車に乗るための場所」から変われるか

人の動きが減るならばモノも運ぼうと新幹線などを使った貨物輸送への取り組みも見られる。需要はそれなりにありそうだが、鉄道利用者の減少をカバーするまでには至りそうにない。

大都市圏の鉄道会社が人口減少社会において鉄道事業を続けながら、新たな収入を確保しようとするなら、まずは駅の機能を強化することだ。有望な資産をうまく活用しない手はない。一人暮らしの高齢者が増えるにつれて、行政サービスの窓口や医療機関、福祉施設などが集中した生活必需サービスを一元的に受けられる「便利な場所」へのニーズは大きくなる。これまでのような乗り換えの便利さや商業施設の充実だけでなく、駅を「電車に乗るための場所」から周辺住民にとっての「便利な場所」へと生まれ変わらせるのである。

これまでの再開発といえば、都心のターミナル駅などで進められてきた。こうした都心型の再開発については新規計画もあるが、今後は郊外の主要駅がそれぞれにコンパクトシティーの拠点としての役割を求められる。これまでとは異なる収益を生み出す存在となれば、鉄道会社のビジネスモデルは大きく変わる。

1つの駅だけで整備が難しければ、沿線の複数の駅で「役割分担」してコンパクトシティーの機能を持たせるのでもよい。

私はこれまでいくつもの鉄道会社に招かれて経営陣と意見交換をする機会があったが、その際に沿線を1つの街と見立てて駅ごとに特徴立った開発をするよう勧めてきた。

例えば、医療機関が集中する駅、劇場や音楽ホールが集まる駅といった具合だ。こうすれば、高齢者も含めた沿線住民は駅の間を行き来するために鉄道を利用する機会が増え、通勤・通学定期券客の減少を補える。沿線住民向けの「生活定期券」をつくってもいい。

駅機能の作り替えとともに進める必要があるのが、駅を中心とした街の整備だ。先述したように、今後は多様な働き方が広がることで一日中自宅周辺から離れることなく、仕事をし、家族とも過ごし、趣味やレジャーを楽しむといったライフスタイルの沿線住民が増える。

こうしたライフスタイルの変化によって生まれる新たなニーズに、さまざまな分野の他企業と連携して応えることである。こうした取り組みで衛星都市の住民が自分の住む街に愛着とプライドを持つようになれば、結果として鉄道に乗る人も多くなるだろう。街づくりへの積極的な参画は鉄道会社にとって鉄道収入に並ぶ新たな収益源となるだけでなく、沿線イメージの向上や駅が立地する街の価値を高めることにもなる。人口減少という大激変にあっては、鉄道会社は人や荷物を運ぶ企業から人々の生活の利便性をプロデュースし、「新たな暮らし方」を創造して海外輸出する企業へと変貌を迫られるだろう。柔軟さなしには生き残れない。

赤字は続くよどこまでも
――ローカル線に起きること

ローカル線への大打撃

人口減少が鉄道会社の経営に与える影響としては、ローカル線の赤字も大きな課題だ。2022年7月に国交省の有識者会議がまとめた提言をきっかけとして、廃止に向けた気運が一気に高まっている。

国鉄分割民営化以来の大きな節目を迎えているということだが、国鉄民営化当時は人口が増えていた。大都市圏までが人口減少に悩む現在とでは環境があまりに違い過ぎる。

かつてローカル線が赤字を積み重ねてきた大きな要因は、道路が整備されたことに伴うマイカーの普及であった。鉄道利用者の減少に伴って運行本数が減り、運賃が値上げされて使い勝手が悪くなるとさらに利用者が減っていくという悪循環であった。だが、いまは鉄道利用者、マイカー利用者を問わず地域人口全体が減っているのである。

国交省の有識者会議の提言の内容は、輸送密度（1キロメートルあたりの1日平均利用者数）が1000人未満かつピーク時の乗客数が1時間あたり500人未満である場合などを目安として沿線自治体と鉄道会社に国も加えた協議会を設置して3年以内に結論を出すよう求めるものだ。特段、難しいことを言っているわけではない。

むしろ世間を驚かせたのは、提言に合わせる形でJR西日本とJR東日本が公表した区間ごとの赤字額だった。苦境ぶりを伝えるに十分だったからだ。

49億9000万円の赤字区間も

JR西日本は17路線30区間で248億円（2017～2019年度の平均）、JR東日本は35路線66区間で693億円（2019年度）の赤字額だ。JR東日本の場合、赤字が最大だったのは羽越本線の村上駅─鶴岡駅間の49億9000万円だ。100円の運賃収入を得るためにいくら費用を要するかを示す「営業係数」では久留里線久留里駅─上総亀山駅間が1万5546円もかかっていた。民間企業が抱え込む負担としては巨大すぎる。

両社はこれまで大都市圏の通勤路線や新幹線が稼ぎ出す利益を「内部補助」として

回すことで、何とかローカル線を存続させてきた。

しかしながら、都市部でも人口減少が待ち受けるだけでなく、コロナ禍によるテレワークの普及で通勤客や出張ニーズの縮小が加わったことで、採算を度外視した大盤振る舞いをこれ以上続けられなくなったというのが本音である。

乗り合いバス事業者は「99・6%が赤字」

これに対し、廃線が浮上している赤字ローカル線の沿線自治体などからは鉄道存続を求める声が上がっている。高校生や高齢者の足となっているだけでなく、廃線が引き金となって沿線人口の流出が加速するのではないかとの懸念があるためだ。

「赤字ローカル線を単体で考えるのではなく、鉄道ネットワークとして捉えるべきだ」との主張も聞かれる。とはいえ、赤字ローカル線を支えてきた「内部補助」という根底すら破綻し始めている以上、ＪＲ側も簡単には譲れないだろう。

赤字ローカル線の存続を熱望する地域では、バス高速輸送システム（ＢＲＴ）や路線バスへの転換ではなく、地方自治体などが鉄道会社に代わって施設や車両を保有し、鉄道会社は運行のみを担う「上下分離方式」を模索する動きもある。

税金を投入して「上下分離方式」に移行すれば、収支は一時的に改善するかもしれないが、その多くは時間稼ぎに終わる。先述したように問題の本質は地域住民の減少に伴う利用者不足である。鉄道の存続であろうが、路線バスなどへの転換だろうが、需要不足を起こしている状況に違いはない。

国交省の「2022年版交通政策白書」によれば、2020年度は乗り合いバス事業者の99・6%が赤字であった。同年度の廃止キロ数は鉄道が146・6キロメートルに対し、路線バスは1543キロメートルだ。路線バスの廃止キロ数は2010〜2020年度の累計で1万3845キロメートルに及ぶ。

観光客を含めたその地域の商圏人口（周辺人口）が、運行事業者の存続し得る必要数に届かなくなれば公共交通機関は維持できない。乗客が増えなければ、鉄道かバスかにかかわらず結局は廃止の道が待っている。鉄道廃線に伴う代替バス路線までもが赤字続きで廃止になるケースがすでに出てきている現実を直視しなければならない。

地方に住むと水道代が高くつく

――生活インフラに起きること

2744集落がいずれ消滅

前項では鉄道の赤字ローカル線を取り上げたが、見誤ってならないのは鉄道会社だけの特殊な問題ではない点である。鉄道の赤字ローカル線が突き付けている問題の本質は、急速に人口が減少していく過疎地域においてさまざまな生活必需サービスが維持できなくなってきている現実である。先述したが、商圏人口が縮小すればさまざまなサービスが立地できなくなる。

今日の鉄道は、「明日の水道」、「明日の電気」の姿なのだ。

「地方」とひとくくりにしがちだが、過疎集落ほど人口の減るスピードは速い。総務省の「過疎地域等における集落の状況に関する現況把握調査最終報告」（２０１９年度調査）によれば、過疎地域の集落の総数は、６万１５１１だ。２０１５年の前回調査と比べて、集落数は０・６％（３４９集落）減った。人口にすると６・９％（72万５５９０人）減だ。このうち139の集落は無人化した。住民の過半数が65歳以上という集落は22・1％から32・2％へと増加しており、2744集落はいずれ消滅すると見られている。

今後40年で使用水量が4割減

商圏人口が縮むと生活インフラの経営に即座に影響する。例えば水道だ。厚労省の資料「水道の現状」（2018年）は、1日あたりの有収水量（水道管を通り蛇口から出た水道料金の対象となる水量）は人口減少や節水機器の普及などによって2000年の3900万立方メートルをピークに減っており、2065年には43・6％少ない2200万立方メートルになると予測している。水道事業は原則水道料金で運営する独立採算制を敷いているため、人口減少で使用水量が落ち込むと事業が厳しくなる。

厚労省の資料によれば高度経済成長期に整備された施設を中心に水道管や浄水場などの老朽化が進んできており、年間2万件を超す漏水や破損事故を起こしている。すべてを更新しようと思えば130年以上かかるというのだ。

水道事業は市町村単位で経営されており小規模事業者が多いため、職員数も少なく資産管理や危機管理体制に支障が生じ始めている。一方、全事業者で見ても約3分の

1の事業者は、給水原価が供給価格を上回る原価割れを起こし、計画的な更新に必要となる資金を十分に確保できていない事業者は少なくない。

このように水道を取り巻く経営環境は人口減少の影響を受けやすいが、将来的に利用者負担はどうなっていくのだろうか。

2043年、料金が月1400円上がる

EY新日本有限責任監査法人と水の安全保障戦略機構事務局がまとめた「人口減少時代の水道料金はどうなるのか?」(2021年版)によれば、2043年度までに水道料金の値上げが必要となるのは1162事業体で、分析対象とした1232事業体の94・3%を占める。1ヵ月あたりの平均料金は2018年が3225円に対し、2043年には1・44倍の4642円に上昇すると見込んでいるのだ。

当然ながら給水人口が少ないほど値上げ率は高くなる傾向にある。給水人口が20万人未満となると50%以上の値上げが必要となる可能性が急速に高まり、1万5000人未満の小規模事業体においては、100%以上の値上げの可能性のある事業体が14・0%、50～100%未満の値上げ率のある事業体は29・2%に及ぶと予測している。

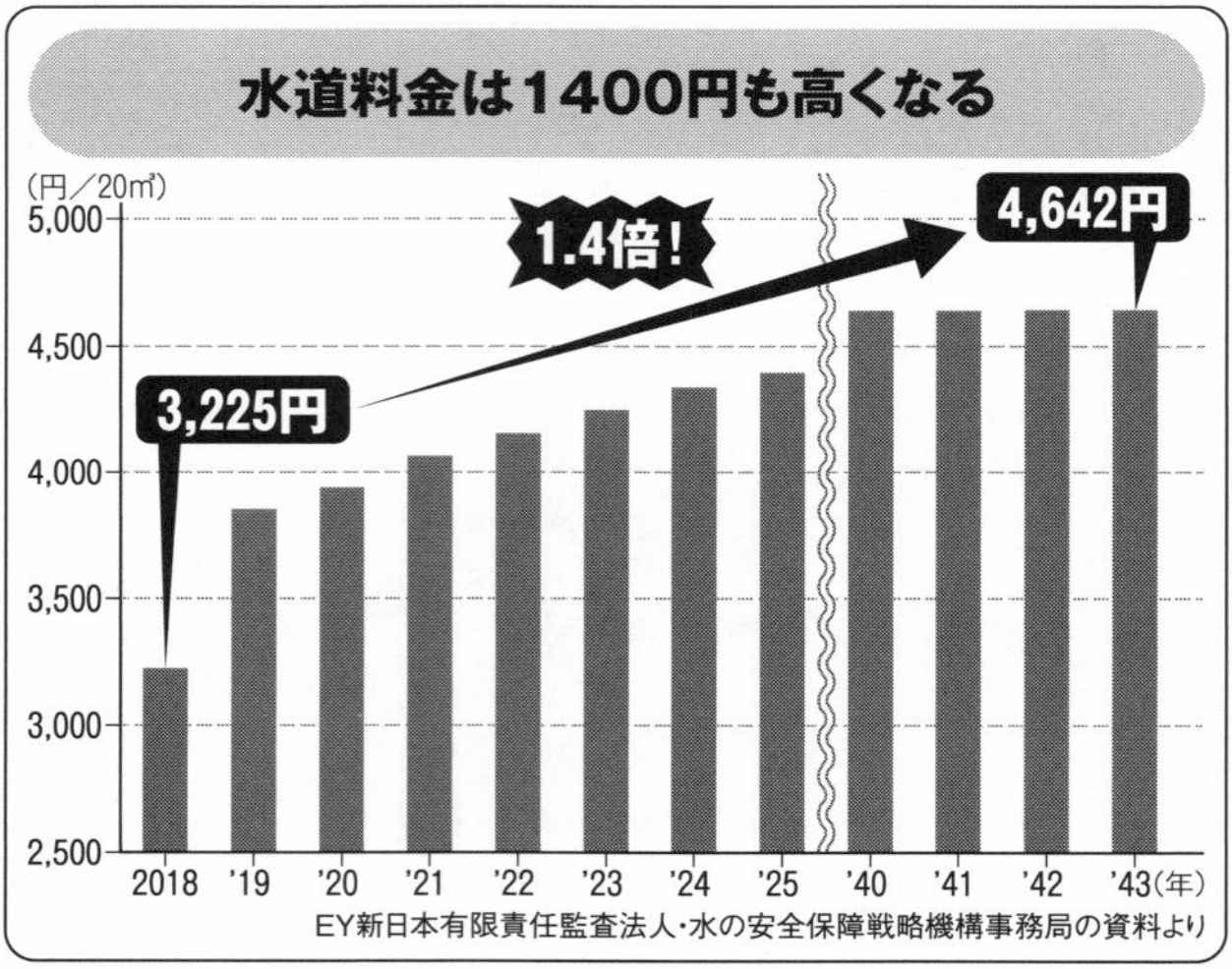

人口密度で見ると1平方キロメートルあたり5000人未満になると約半数の事業体が30％以上の値上げを要するようになるというのだ。地域別では北海道、東北、北陸において値上げ率が高くなる傾向にある。

2018年に改正された水道法で広域連携のための協議会の設置が可能となったが、仮に水道事業が都道府県単位に再編された場合、値上げ率が最も高くなるのは高知県の57％増で、最も低くて済む栃木県の9％増と比べると6倍以上の差となると推計している。

ガス事業者が直面する「厳しい現実」

人口減少による影響を受けるのはガスも同じだ。

一般社団法人日本ガス協会の「地方ガス事業者の現状と今後の課題」(2021年)という資料によれば、193の都市ガス事業者のうち、従業員数100人以下が全体の8割を占め、その半数は30人以下だ。少子化で新規学卒者が減って新規採用が厳しくなると、必要な技術者が確保できず存続の危機に直面するところが出てきそうである。地方では後継者不足でLPガス事業者の廃業が拡大しており、事業者数は2007年(2万4622事業者)と2016年(1万9514事業者)を比べると、20・7%も減っている。

一方、経産省の資料によれば、81%の都市ガス事業者が他業種との連携を検討したことがない。従業員数が100人以下の事業者ではほとんどなく、多角化や規模の拡大は難しそうだ。

「受益者負担」を求める声が強くなる

水道にせよ、ガスや電気にせよ公共サービスは人口が減ったからといってただちに撤退したり、値上がりしたりするわけではない。だが、人口が減って利用者が減れば経営はダメージを受け、サービスの維持を困難にする。しかも、利用者が少なくなっても水道管やガス管、送電線などの点検や修繕は続けなければならず、利用者の縮小に合わせて事業規模を縮小するわけにはいかない。

コスト削減に制約があるのに利用者が減り続ければ、1軒あたりに要するコストは膨らんでいく。過疎が進む地域に今後も水道やガス、電気を通し続けようとすれば、理屈の上では鉄道会社の赤字ローカル線の運賃が高く設定されているのと同じく、利用世帯1軒あたりの負担を大きくせざるを得ないということになる。

だが、公共サービスは鉄道の運賃とは違い、利用した分だけを負担する料金体系にはなっていない。事業エリアも広範囲で過疎地域への提供を維持するためにかかるコストは全体の費用に組み込まれ、過疎地域以外の人も含めて負担することとなる。

過疎地域以外の利用者にしてみれば、過疎地域が一緒でなければもっと低負担で利用ができるわけで、「本来負担すべき額よりも多く支払っている」という意識になりがちだ。人口減少の影響で値上がりが続き、どこかの段階で許容度を超えれば不満が出ることだろう。過疎地域の住民に対して〝受益者負担〟を求める意見が出ても不思議ではない。

現在、海上輸送のコストがかかる離島などでは日用品などが割高となっているが、これからは「人口密度の低い地区の公共サービスにも、離島と同じく上乗せ料金を支払うべきだ」という声が強まりかねないのである。

「給油のために遠方のガソリンスタンドへ」「往復1万円かけて散髪」

商圏人口の縮小に対しては、民間事業者はもっとシビアだ。経営維持に必要な利用者がいなくなれば即座に撤退が始まる。

日用品を扱うスーパーマーケットや商店はもとより、診療所や介護サービス事業所などがなくなれば不便を通り越して生活を続けることが難しくなる。

すでに、ガソリンを給油するために遠方のガソリンスタンドまで行かなければならない地域は広がっている。理髪店が閉店してしまい、運転免許証を自主返納した高齢者がタクシーで往復1万円をかけて近隣市に散髪に出かけるといった話はかなり前から話題となっていた。

民間事業者が存続できる商圏規模（巻頭のカラーページ参照）を失っても事業を継続し

ようとするならば、最終的には価格の大幅引き上げをするしかなくなるだろう。

もちろん、多角経営で人口密度にかかわらず全国均一料金で提供できる経営体力を持つ事業者はあるだろうし、JRのように「内部補助」といった手法をとることのできる企業もあるだろうが、すべてがこうした奥の手を使えるわけではない。「内部補助」だって限度はある。

「多極集中」を目指すべき

人口減少社会では、地域偏在が大きくなりやすい。それは地域ごとの費用対効果がこれまで以上にシビアに問われるようになるということだ。

需要が急速に縮小していく人口激減地域での暮らしは、結構コストがかかる。不動産価格は低いので住宅費こそ安価で済むかもしれないが、移動のためにマイカーが必需品である。さらに商圏が縮小する中で民間事業者が商品やサービスを高くせざるを得なくなることも考えれば、住宅費以外の生活コストは総じて割高になることを覚悟する必要がある。

こうした状況があるにもかかわらず、政府や地方自治体は、将来に向けて極端に人口が少ない集落が点在する状況をあえて作り出すような政策に邁進《まいしん》している。空き家の活用を名目として大胆な家賃補助を行い過疎地に東京圏などからの移住者を誘導しているのだ。

高齢者ばかりの集落に若者が移住したとなると、移住者が集落で飛びぬけて年下の住民となる。そうした集落では移住してきた人が最後まで残る可能性が大きい。これでは「ポツンと5軒家」が、将来的に「ポツンと1軒家」となりかねない。

「ポツンと1軒家」のエリアが広がることになると、水道やガス、電気といった公共サービスの値上げ率がより高くなることはもとより、自治体による行政サービスの維持コストは膨らみ続け、やがて地方財政に重くのしかかるだろう。過疎地に行政サービスや公的サービスを届け続けようとすると、その周辺の人口集積エリアの生活コストまでも上昇させ得るのである。

東京一極集中は弊害も多く、地方移住政策を否定するつもりはない。どこに住むかは個々人の判断であるが、税金を使ってまで将来的な過疎地を拡大するような政策には首をかしげざるを得ない。

鉄道の赤字ローカル線の存廃問題は、過疎地域においてさまざまな生活必需サービスが維持できなくなってきている現実を突き付けただけではなく、人口減少社会における「多極分散」の限界の危うさも教えている。

地方でのビジネスを維持しようとするならば、マーケットを分散させてはならない。なるべく多くの企業が存続し得るよう、商圏の人口規模をなるべく小さくさせない「多極集中」の社会を目指すべきなのである。

2030年頃には「患者不足」に陥る
——医療業界に起きること①

有望な医療ビジネスの未来

職業として見た「医師」は、いつの時代も人気職種である。直接的に命を救うという〝分かりやすい仕事〟であるがゆえ、感謝されることが多い。社会的ステータスは高く、得られる報酬も多いというのが多くの人々の受け止め方だろう。

だが、医療業界もまた、人口減少の影響を免れない。

患者数を「マーケット」と呼ぶことはかなり違和感があるが、敢えてビジネスという観点で医療を捉えると、2024年までに人口ボリュームの大きい団塊世代が75歳以上となることに伴い、大病を患う人が増える見込みだ。表向きは有望な産業に見えるが、内実を調べるとそうでもない。

政府は国民の高齢化に伴って患者が増えるとの予測から2009年以降、医学部の入学定員枠を段階的に増やしてきた。一部の地域や診療科で医師不足が露呈していたためだ。与党からの強い要請もあって、特定の地域や診療科での勤務を条件とした受け入れ枠を中心に入学定員を拡大したのである。その結果、いまや医師は毎年3500〜4000人ずつ増加し続けている。

しかしながら、地域偏在や診療科偏在は簡単には解消せず、地方の中には医師不足の状況がむしろ悪化したところも少なくない。このため2024年度から2029年度を対象とする第8次医療計画の策定に向けた検討でも、医師が不足する県などからは増やし過ぎた医師養成数を縮小することへの反対意見が出た。

さらに新型コロナウイルス感染症で医療逼迫《ひっぱく》が現実のものとなったことがあり、医療体制の充実を求める国民世論はかつてない高まりを見せている。

2030年頃に「患者不足」が起こる

もちろん、各地域における個別の医師不足事情には耳を傾けなくてはならないが、日本全体として考えると、人口減少下で医師の養成数をこれまでのペースで増やし続けることは難しい。総人口の減少とともに患者数が減っていくからだ。こうした現実を無視して医師の養成数だけを増やし続けたならば、需給バランスは大きく崩れる。

医療現場に立つ医師を養成するのには長い年数がかかるため、タイムラグが生じてうまく調整できないのだ。患者が多いときには養成が間に合わずに「医師不足」が続き、ようやく医師数が増えた頃には人口減少で患者も減り、「医師過剰」というよりも「患者不足」になっているのである。

目の前で起きている医師の偏在をすべて解消してから「医学部入学定員の削減」をスタートさせていたのでは「患者不足」状況はより酷くなる。そもそも地域偏在や診療科偏在を医師養成数の拡大のみで解決しようとすることには無理があるのだ。

日本全体で見ると「患者不足」に転じるタイミングはそんなに遠くない。厚生労働省の資料によれば、2024年度から開始予定の医師の働き方改革（時間外労働の年間上限原則960時間）に合わせて労働時間を週60時間程度に制限するなど業務の見直しをした場合には2029年頃に約36万人で、週55時間程度とした場合でも2032年頃に約36万6000人で需給が均衡し、その後は医師が過剰となる。

「患者不足」は地方圏ほど早く訪れる。2025年から2040年にかけて21県で65歳以上人口が減る。75歳以上人口の減少は17府県だ。

厚労省は「患者不足」時代の到来を裏付けるデータも公表しているが、入院患者数

「患者不足」に転じるタイミングは近い

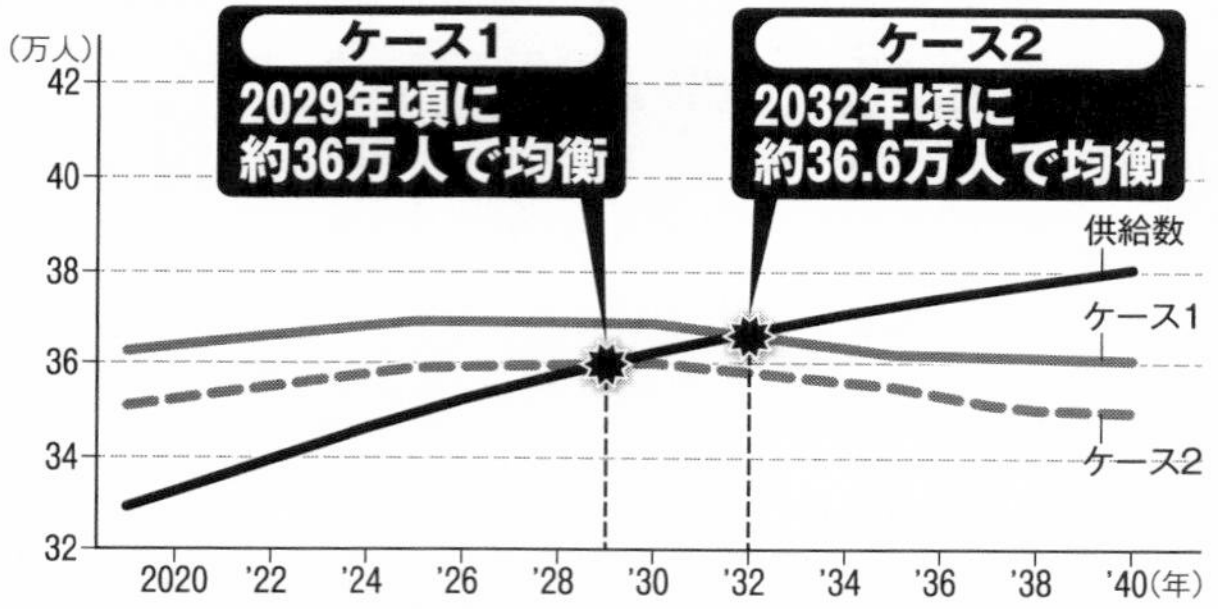

今後の医学部定員を2020年度の9,330人として推計。
- 需要ケース1　年間720時間の時間外･休日労働に相当
- 需要ケース2　年間960時間の時間外･休日労働に相当

厚生労働省の資料より

は高齢人口が最高値に近づく２０４０年にピークを迎える。入院患者数を高齢人口の医療圏別に見ると２０２０年までに89ヵ所の二次医療圏でピークを迎えたと見込まれ、２０３５年までに２６０ヵ所でピークとなる。外来患者についてはすでに減少している医療圏が多く、２０２０年までに２１４ヵ所でピークを迎えた。全国で計算しても２０２５年にピークとなる（巻頭のカラーページ参照）。

人口減少スピードが速い地方ほど経営が悪化

一方で、在宅患者は２０４０年以降

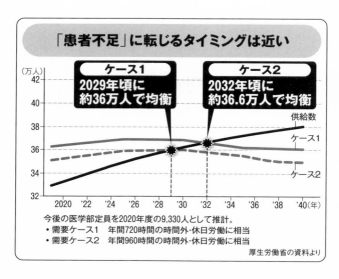

にピークアウトする見込みであるが、それは診療科によって需給バランスが大きく異なる状況を生むということでもある。在宅医療に向かない診療科もある。他方、地方には在宅患者も減り始めているところが出てきている。このまま「患者不足」の地域が広がれば、予期せぬ形で新たな医師偏在が起きる。

医療機関を経営していくためには一定規模の周辺人口が必要なためだ。国交省の資料は、一般診療所は市町村の人口規模が１８００人、病院は１万７５００人を下回ると存続が困難になり始めるとしている。人口減少スピードが速い地方ほど一般患者の減少も速く、医療機関の経営収益が悪化する可能性が大きいということだ。

「患者不足」で経営が行き詰まり、医療機関が撤退してしまった地域では人々が暮らしを維持することは難しくなる。結果として、人口流出に拍車がかかり廃業に踏み切る医療機関がさらに増え、診療科の偏在が加速する。

問題はこれにとどまらない。「患者不足」が深刻化すれば、臨床機会が減って医師としての技能向上が図りづらくなる。収入減少が続いて医療機関の経営が厳しくなれば医療スタッフの給与水準は医師も含めて抑制せざるを得なくなる。こうなると、医師不足が続いている大都市圏などの医療機関による医師や看護師などの〝引き抜き〟の激化が予想される。

患者の大多数が東京に集中

人口減少や高齢化というのは地域ごとに進み方に差があるため、「患者不足」が遅れてやってくる大都市圏では医師不足は当面続く。データを確認してみると、患者数の増加の中心が東京圏になることが分かる。

総務省の人口推計によれば2021年10月1日現在の65歳以上の高齢者数は3621万4000人だ。一方、社人研は2040年の高齢者数を3920万6000人と予測している。2040年までに299万2000人増えるが、そのうち60・5%は東京圏での増加だ。高齢者になったら直ちにすべての人が病気になるわけではないが、患者の多くは東京圏で発生することは間違いない。その分、東京圏では医師に対する需要が拡大するということだ。

「患者不足」となったエリアの医師が、タイムラグで「医師不足」が続いている東京圏の医療機関から好条件で誘われるケースは増えよう。得られる報酬が増え、しかもスキルアップのための機会が確保できるとなれば勤務先を変えようと思う人が増えても不思議ではない。

医師個人が職場を東京圏に求める動きとは別に、地方の医療機関が東京圏へと進出する動きも出てきている。

しかしながら、東京圏も人口は減っていく。医師の養成数が増え、しかも地方から集まる状況が続けば、現状の「医師不足」は長く続かない。厚労省の推計では、東京都は2036年時点で1万3295人の医師過剰が起きるとしている。そこに地方から移ってくる医師数を加えたならば「患者不足」に拍車がかかる。ちなみに、厚労省の資料では東京都以外でも大阪府（4393人）、福岡県（2684人）といった大都市を抱える府県での医師過剰を予測している。

2036年、内科や皮膚科は「患者不足」に

東京圏内でも医師の偏在は広がる。二次医療圏ごとに見ると、例えば東京都の場合には23区では一部を除き軒並み医師過剰となるのに対し、多摩地区や島嶼《とうしょ》部の二次医療圏では不足が目立つ。厚労省の「二次医療圏ごとの推計患者数」によれば、東京都内の二次医療圏の全年齢患者数は多摩地区および島嶼部では2025年から2040

年にかけて減るが、23区は増え続ける。だが、増えると言ってもペースは鈍く、横ばいに近い状況である。要するに、医師の増え方に、患者の増え方が追い付かないということである。

一方、東京都は高齢住民が激増していくため、65歳以上の患者数は多摩地区を含めて大きく伸びる。いずれ高齢患者も減少局面に転じるが、当面は高齢者がかかりやすい病気の診療科はニーズが高まる。「患者不足」はすべての診療科で起きるわけではなく、今後は診療科ごとの差が大きくなるということだ。

厚労省によれば、2025年から2040年にかけて65歳以上人口が増加する135の二次医療圏では、急性期の医療需要が引き続き増加するが、癌、虚血性心疾患、脳梗塞については入院患者数の増加ほどは急性期治療の件数は増加しないと見込んでいる。また、大腿骨骨折の入院患者数および手術件数は大幅な増加が見込まれるとしている。

これに対して、65歳以上人口が減少する194の二次医療圏においては、癌、虚血性心疾患の入院患者数が減少し、脳梗塞は入院患者数の増加ほどは急性期治療の件数が増加しないと予測している。反対に、大腿骨骨折の入院患者数や手術件数は増加するとの見立てだ。このように、高齢化しながら人口が減っていく社会においては、地域ごとに差をもたらしながら疾病別にニーズの拡大や縮小が起きるのだ。

一方、医師の養成はこうしたニーズの変化を織り込んでいるわけではない。日本医師会総合政策研究機構（日医総研）のレポートによれば、2010年から2020年にかけて病院や診療所で働く医師は4万3269人増えたが、主たる診療科ごとに見てみると大きく増えたのは眼科（842人増）、整形外科（2545人増）、皮膚科（1399人増）、精神科（2289人増）だ。外科はむしろ3493人も減り、減少傾向に歯止めがかかっていない。1万3664人増の内科系は総数こそ多いが伸びは鈍化しており、医師に占める割合は2010年の36・6％から2020年は35・9％へと低下している。医師数を増やしたことによって、バランスがむしろ崩れる方向に作用しているのである。

厚労省の資料に基づき、医師が多い東京都について診療科別に需給バランスを見てみよう。東京圏の場合は県境を跨いでの兼業をする医師も少なくなく、単純に説明できない部分もあるが、内科は2016年の医師数1万5010人に対し2036年の必要医師数は1万3780人で、「患者不足」に陥りそうだ。皮膚科も2016年の1

508人に対し2036年は993人で事足りるとしている。一方、外科は2016年には34822人だが、2030年の必要医師数は37773人、2036年は37742人なので「医師不足」となる。脳神経外科も2016年は9336人だが、2036年には9965人必要だ。「東京都では今後、手術は数ヵ月から半年待ちになる」と語る医師もいるが、こうしたデータを見るとあながち大袈裟な物言いとも思えない。

「開業医は儲かる」という神話の崩壊
――医療業界に起きること②

患者不足でも値上げできない

東京都の場合には公共交通機関が発達しているため、患者は自分が受診したい医療機関をかなり広域なエリアの中から選ぶことが可能だ。このため「患者不足」となる診療科では患者の争奪戦や抱え込みも起きることだろう。人口が急激に減るわけではない23区内の医療機関であっても、経営的に苦境に立たされて廃業に追い込まれるところが出てきそうだ。

ちなみに、東京商工リサーチによれば、２０２１年の一般診療所の倒産は22件で前年から倍増した。コロナ禍による受診抑制や、テレワークの定着によるオフィス街の患者の減少が大きな要因だ。これら「不況型」は15件で診療所倒産の約7割を占める。コロナ禍が完全に終息したとしても、「患者不足」となる診療科の診療所では収入が先細りとなる可能性が大きい。患者数に比べて医師が多すぎる時代となれば、「開業医は儲かる」といった〝神話〟も崩れるだろう。

日本の医療機関の大半は保険医療を行っており、診察行為は診療報酬で値段が決まっているため、患者不足が深刻化したからといって他業種のように「値上げ」で対応することはできない。そうした中、自由診療に活路を見出そうという動きがすでに出始めている。日医総研のレポートによれば、美容外科が絶対数こそ少ないものの増加が顕著だというのだ。とりわけ東京23区における35歳未満の医師にその傾向が強いとしている。若手医師が美容外科を選択するというのはこれまでほとんど見られなかったことである。

東京23区の美容外科では、同じく増加の著しい皮膚科医が診察を行っているケースは少なくなく、自由診療に流れる傾向は今後も拡大しそうだ。

「無医地区」が急増する

一方、医師の都会流出が進むと別の問題が起きてくる。地方が再び「医師不足」に見舞われるのだ。

それを改善しようと政治家などが介入して医師養成数を高止まりのままにすれば、

全国規模では医師の過剰状態が一段と悪化する。現状の医師不足や偏在の解消は、中長期的視野に立って取り組まなければかえって医療が届かない地域を拡大させるという皮肉を招く。

そもそも、現在の「医師不足」の解消施策というのは医師の年齢まで問うているわけではない。少子高齢化が進む中において住民の高齢化が著しい地域では、医師も高齢化が進んでいるケースが少なくない。

厚労省の資料（2020年）によれば、診療所に従事する医師は過去20年で1万8613人増加したが、60歳以上が半分ほどを占め、平均年齢は60・2歳だ。日本医師会総合政策研究機構の試算では2036年の65歳以上の医師数は9万3333人となり、2016年と比べて1・93倍となる。地方では80代どころか90代の現役医師が少なくない。こうした年齢の医師が経営する診療所は後継者が決まっていないことが多く、それがゆえに超長寿の医師が従事し続けている。医師も人間なので高齢となればいつ亡くなったり、体調を崩したりするか分からない。高齢医師が1人しかいない地域というのは「医師不足」への逆戻りどころか、いつ無医地区と化すか分からないのである。

医師の過不足を解消するには

人口減少が深刻化すれば、「無医地区」と隣り合わせというところが拡大する。しかも、地域包括ケアシステムを担う内科系医師の増え方は鈍い。無医地区になれば〝後釜〟の医師がすぐに見つかるとはいかないだろう。政府はかかりつけ医機能が発揮される制度整備を進めているが、これではとても覚束ない。

繰り返すが、〝一時的〟な現象である医師不足を、医師養成数の拡大のみで解決しようとしていることには限界がある。人口減少を無視して、目先の課題解決を進めてみても本質的な問題解決にはならない。

人口減少社会において一時的な医師の過不足を解消するには、すでに活躍中の医師も含めて総合的な診療能力を身に付けることが不可欠だ。開業医が当番制で病院勤務をしたり、反対に中小病院にかかりつけ医機能を担ってもらったりすることが必要な地域も出てくるだろう。さらには、オンライン診療が可能な診療科では遠隔診療を徹底することで「地域」という概念を根底からなくすことも必要だ。これまでの医療界の常識では「あり得ない」と排除してきたことにも積極的に挑まざるを得ないということである。

ハイペースで出生数減少が進んでいることを考えれば、将来的には医学部入学者数も現行水準を保てなくなる。

医療機関が自由に競争する時代は終わり始めている。地域内の医師が垣根を取り払い、デジタル技術もフル活用して「人口減少に対応し得る地域医療構想」を実現しなければ、国民の命は守れなくなる。

経済成長があってこその医療だ

人口減少が医療にもたらす影響は「患者不足」だけではない。国内マーケットの縮小による経済低迷もそうだ。

「医療と経済は無関係」と思う人がいるかもしれないが、そうではない。世界に誇る我が国の国民皆保険制度は莫大な公費を投じることで成り立っているのだ。医療技術の進歩や画期的な新薬の開発だって経済的な裏付けなしには進まない。

就職氷河期世代が65歳以上となる2040年頃には、老後資金を十分に貯め切れていない高齢者が激増する見通しだ。政府は公的年金の受給額を減らす一方で医療や介護の保険料や自己負担割合を段階的に増やす構えだが、「貧しき高齢者」の増加は受診抑制を広げかねない。これを医療機関側から見れば、さらなる「患者不足」である。

もし、人口減少で日本経済が衰退したならば、少額の自己負担で誰もが気兼ねなく治療を受けられるという現行の〝夢のような制度〟は維持できなくなる。医療技術の進歩とともに「受けられる医療」も充実し続けると固く信じている日本人が少なくないが、それは幻想にすぎない。

多くの日本企業は人口減少への対応が遅れている。各企業の対応策が時間オーバーとなって法人税などが落ち込めば、公的保険医療の適用範囲を縮小せざるを得なくなる。それは、どんなに医療技術が進歩し、画期的な新薬が誕生したとしても、その恩恵にあずかれるのは一部の裕福層にとどまり、多くの国民は〝そこそこのレベルの医療〟しか受けられないといった未来である。

国民皆保険制度が縮小すれば国民全体に受診抑制が広がり、医療機関の経営にも大きな打撃をもたらす。人口減少がもたらすインパクトは、多くの国民が考えている以上に巨大なのである。

多死社会なのに「寺院消滅」の危機
——寺院業界に起きること

多死社会なのに寺院消滅？

人口減少は思わぬ「仕事」にも影響を及ぼす。ビジネスとは異なるがお寺など宗教法人の運営も例外ではない。

寺院経営も民間企業と同じく、それぞれに課題や事情を抱えながらやり繰りしているのが実情だ。

社人研の将来推計によれば、2040年に167万9246人でピークに達するまで死亡数は増え続ける。超高齢社会の次に来るのは「多死社会」だ。亡くなる人が増えれば弔いの機会も多くなり、寺院経営にとっては追い風になるとも思える。

しかしながら現実はそう簡単ではないようで、むしろ仏教界では廃寺が拡大している。住職などの間では「寺院消滅」という言葉が飛び交うほどに危機感が広がっているのだ。

増加する「単立宗教法人」

宗教法人の経営データというのは入手が困難である。宗派ごとに調査を行ってはいるが、公表は断片的である。だが、文化庁の「宗教年鑑」を確認すると、寺院経営の苦悩ぶりが浮かび上がってくる。日本人になじみ深い仏教を取り上げ、見てみよう。

仏教の法人総数（2020年12月31日現在）は7万7055法人だ。2000年末が7万7681法人、2010年末が7万7645法人なので、この20年であまり変化していない。

仏教では独立した宗教法人である寺院の大半は宗門、宗派に属し、その包括宗教法人（所属教団）に毎年、賦課金と呼ばれる所属経費を納付している。そこで、包括宗教法人の数を調べてみると2000年末の167法人、2010年末の167法人に対し、2020年末は168法人なのでこちらも大きな変化はない。

これに対し、この20年で大きく変化したのは特定の団体と関係を持たない「単立宗教法人」だ。2000年末には2504法人だったが、2010年末は2637法人、2020年末は2783法人と増加を続けている。特定の団体と関係を持つ「被包括法人」はそれぞれ7万4953法人、7万4777法人、7万4037法人と横ばい傾向をたどっており「単立宗教法人」の増加だけが際立つ。

「単立宗教法人」が増え続けている理由を仏教関係者に取材すると、常駐する住職がいない寺院の増加が数字を押し上げているのではという見方が多い。活動をやめた宗教法人が廃寺にするには本堂などの解体工事費がかかるため、包括宗教法人を離れてそのまま放置しているということである。

檀家制度が崩壊しつつある

最近は、寺院の解散や住職のいない寺院のニュースをたびたび目にするようになったが、その背景にあるのは少子高齢化や人口減少の影響だ。仏教寺院の多くは檀家寺であり、その経営モデルが人口減少によって崩れてきているのである。

檀家寺の2大収入源は、葬儀や法事の際に檀家から受け取る「お布施」と、檀家の〝年会費〟たる「護持費」である。すなわち、檀家軒数の多寡が収入を左右する。

京都や奈良などにある観光寺では「拝観料」などが収入の大きな柱となっているが、多くの寺院は当て込めない。

寺院関係者によれば、寺院ごとに事情が異なるため一概には言えないが、檀家数300軒程度であれば1000万円ほどの年間収入を得られるという。檀家1軒あたりの平均でお布施収入3万円、護持費収入1万円とすれば年間1200万円になるとの計算だ。ここから本堂の修繕や庭や墓地の手入れなどの諸経費を差し引いた額が、住職の手取り収入となる。

ただし、宗教法人こそ非課税だが、住職個人には所得税がかかるため、手取りはさらに目減りする。多くの住職の懐《ふところ》具合は決して楽ではなく、他の寺院の仕事を手伝ったり、会社員などとの「二足のわらじ」を履いたりして家計をやり繰りしているのが実情である。

なぜ檀家が激減しているのか

こうした寺院の経営基盤を揺るがしているのが、人口減少に伴う檀家軒数の減少である。過疎地域ではすでに深刻化しているところが少なくない。

曹洞宗の「曹洞宗宗勢総合調査報告書」(2015年)によれば、過疎地域に立地する寺院は29・9%で、曹洞宗の寺院全体の約3分の1にあたる。前回2005年の調査では24・5％だったので5・5ポイント増えた。それだけ寺院が立地する地方自治体の過疎化が進展したということだろう。寺院を取り巻く環境は年を追うごとに悪化しているのだ。

浄土宗総合研究所の「研究成果報告書4」（2016年）に過疎地域に立地する寺院（同宗寺院の14・03％）を対象として、2012年6月に実施されたアンケート調査結果が紹介されているが、過去20年間で檀家数が減少した寺院は61・1％にのぼるというのだ。過疎地域どころか、いまや政令指定都市ですら人口が減り始めており、檀家軒数の減少は全国的な問題になってきている。

軒数が減るだけでなく、檀家の高齢化も寺院経営に悪影響を及ぼす。年金収入だけとなった人や、認知症を患いながら一人暮らしという人などが増え、若い頃のような額のお布施を払えなくなる人も出てきている。一人暮らしの檀家が、子供世帯と一緒に暮らすために遠方へと引っ越す例も珍しくない。墓参りのたびに故郷に帰るのは負担が大きいとして、引っ越しと同時にお墓を移転する人もいる。

曹洞宗の「曹洞宗宗勢総合調査報告書」は、檀家が減少した理由を複数回答形式でたずねているが、「後継者のいない檀信徒の死去」「転居など遠方への流出」が非過疎地寺院、過疎地寺院ともに約8割を占めている。こうした傾向は過疎地の寺院に限らないということだ。

「無住寺院」「兼務寺院」の増加

過密化した東京都などでは墓地の購入が難しいこともあって「ネット供養」「ネット墓地」の利用や、お守りを通販で買う人も増えてきている。

檀家頼みの旧来経営モデルは、檀家が遠方へと引っ越すことなく、しかも順調に世代交代をすることが前提だった。交通網の発達で人の移動が激しくなった上に、人口減少が加わってその前提が大きく崩れてきているのだ。これでは、多死社会という順風を待つことなく、寺院のほうが先に寿命が尽きることとなる。

少子高齢化は、寺院と信徒との関係を変質させるだけではない。後継者の育成も困難にする。寺院は「宗教法人」の形式をとっているが、実態としては住職と家族による〝個人経営〟であることが多い。多くの寺院では跡取りが住職となって寺院経営を引き継ぐという世襲を続けてきたのだ。

しかしながら、未婚、晩婚が進み、住職にも子供がいなかったり、いたとしても別の職業を選んだりして、跡を継がないことは珍しくなくなってきた。先に紹介した浄土宗総合研究所のアンケート調査では、正住職のいる寺院の30・3％には後継者がいない。

それは廃寺までいかずとも、住職のなり手がいない「無住寺院」、「兼務寺院」（別の寺院の住職が複数の住職をかけもち）を増やしている。関係者によれば、これら常駐する住職のいない寺院は全国で1万7000程度とされる。

寺院が社会問題化する日

浄土宗総合研究所の過疎地域を対象としたアンケート調査によれば、檀家数が80軒未満の寺院で「正住職寺院として維持する」としているのは65・2％にとどまる。22・7％が「兼務寺院にする」、3・9％は「合併・解散する」と回答している。「檀家数80軒」というのが、寺院経営を維持していく上での1つのボーダーラインのようだ。檀家数の減少と後継者不足が寺院を追い詰めているのである。

ちなみに、同アンケートは、兼務寺院の兼務期間について全体の39％が「30年以上」続いているとしている。

檀家数80軒を割ると廃寺に向かい始める

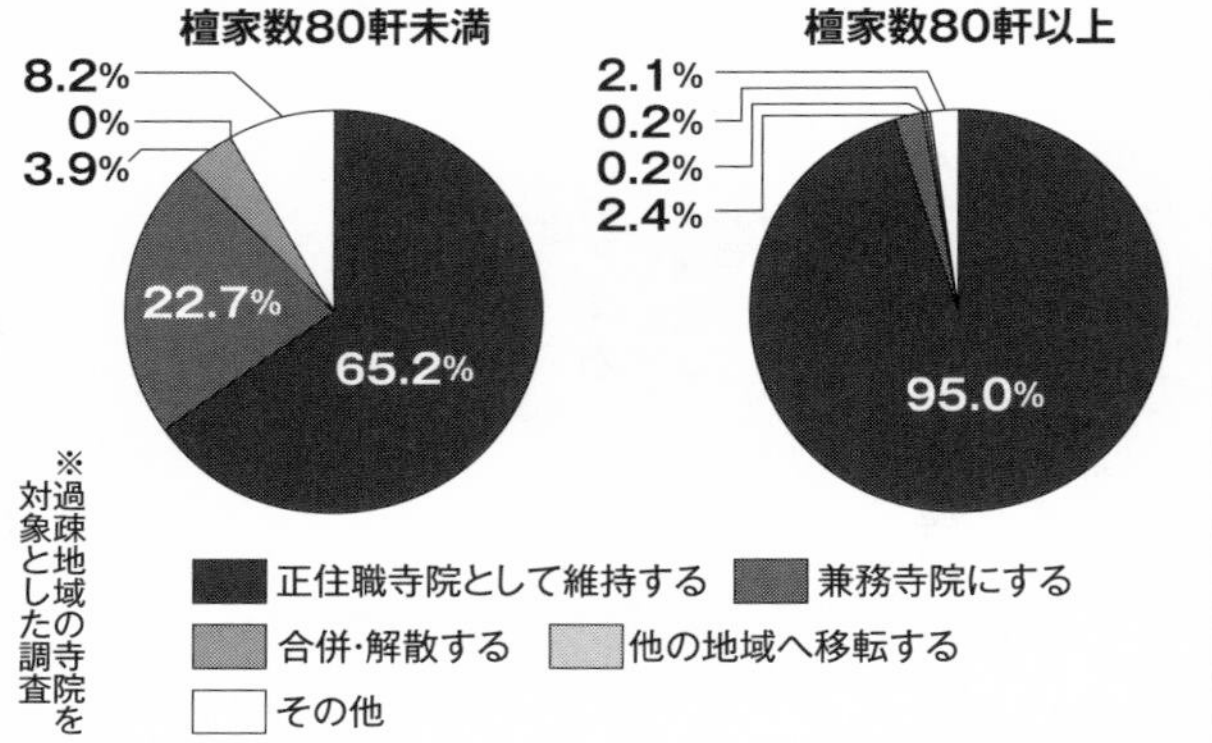

浄土宗総合研究所の資料より

兼務寺院とは廃寺になる前の〝緊急避難措置〟であるが、いったん兼務になると、それが常態化するということだ。それだけ後継者不足が深刻ということでもある。今後は、都市部においても人口減少が顕著になることを考えれば、兼務寺院や無住寺院は全国に広がるものと見られる。

一方、兼務する人すらいない無住寺院になると、人の手が入らず本堂が朽ちたり、雑草で覆われたりする。檀家への連絡もおろそかになりがちだ。住宅の「空き家」と同じであり、地域の景観への悪影響や犯罪者の隠れ家になることが懸念される。

兼務寺院をめぐっては一人の住職が何ヵ所かをかけもちしているケースもあり、手が回り切らなくなれば荒れ始める。管理が行き届かなくなった寺院は、やがて廃寺の道を歩む可能性が大きい。こうした寺院を放置し続けるわけにはいかず、その数が増えれば社会問題化することだろう。

寺院経営を取り巻く環境は厳しさを増すばかりだが、檀家の減少と並んで深刻なのが僧侶志望者の減少である。少子化で若い世代が急速に減っていることもあるが、世襲が多いため寺院経営の裏事情が耳に入りやすい。檀家軒数の先細りで経営的に苦境に陥っている現状を見て敬遠する若者がいても不思議ではないだろう。

僧侶の2割が70代以上

実は、寺院経営には、檀家軒数の減少による年間収入の目減り以外に、大きなリスクがある。

本堂などの建て替えが必要になった時点で、檀家に寄付金を要請する寺院が少なくない。だが、檀家の軒数が減り、年金暮らしで生活に余力のない人が増えたのでは十分な建設費を集めることは簡単ではない。住職自身が資金捻出を迫られることになりかねないのだ。こうした事情を知れば、ますます寺院を継ごうという意欲が薄れる。志望者が少なくなれば、必然的に僧侶の高齢化を招く。日蓮宗の調査では、60代が21・5％と最多だ。70代が11・3％、80代以上が7・6％と、70代以上が2割近くを占めている。中小企業と同じく事業承継が大きな課題となっているのである。

身近な寺院の衰退は、信仰心までをも希薄にしかねない。寺院の収入が減り、檀家が高齢化することで恒例行事が廃止、縮小、簡略化されるようになると、人々が寺院へと足を運ぶ機会が少なくなっていく。そうなれば、寺院経営はますます苦境に陥る。

無住寺院や廃寺の広がりが、国民の宗教離れにつながっていく可能性もある。人口減少は信仰心だけでなく、地域コミュニティーを崩壊させ、伝統や地域の習慣、祭りをはじめとする文化をも衰退させていく。

会葬者がいなくなり、「直葬」が一般化する
――葬儀業界に起きること

盛り上がるエンディングビジネス

「多死社会」の到来といえば、葬儀業こそ追い風が吹きそうである。

人口減少で国内マーケットが縮小する中、需要の高まりは確実だ。相続税対策などを含めた「終活」ブームは依然として続いている。

数少ない成長分野とばかりに異分野から葬儀業界へと参入する動きは活発化しており、コンビニエンスストアや飲食店の跡地を改装して小規模な斎場に生まれ変わらせるといったところまである。生前に少しでも遺品整理をしておこうと、60代以上のシニアによるインターネットの中古品市場への出品も増えている。

従来の葬儀社に顧客を紹介することで手数料を得るネット葬儀社も存在感を増している。エンディングビジネスはまさに花盛りである。

なぜ市場規模が伸びないのか

矢野経済研究所の「葬祭ビジネス市場に関する調査」（2021年）によれば、記録のある2010年の1兆7057億円以降、市場規模はゆるやかに拡大してきており、コロナ禍前の2019年には1兆8132億円となった。その内訳は、葬儀費が1兆2766億円、通夜振る舞いや精進落としなどの飲食費が2703億円、返礼品費が2663億円だ。

2020年は新型コロナウイルス感染症の逆風を受けて1兆5060億円に縮小した。葬儀の場合にはイベントとは違って「感染症が収まるまで延期」というわけにはいかない。だが、政府の行動制限が出されたため、たくさんの参列者が集まる従来の葬儀が少なくなったのだ。代わりに、身内だけの葬儀が増えて市場規模が極端に縮んだということである。

同研究所は、2021年については1兆6179億円に回復すると予測している。しかしながら、2030年になっても2021年と比べてわずか4・8％増の1兆6959億円にしかならないとの見通しを示している。死亡件数の増加によるマーケットの拡大が確実視されているというのに、コロナ禍前の2019年水準まで戻らないとの見込みにしているのはどうしてだろうか。

「家族葬」が拡大する納得の理由

コロナ禍で進んだ葬儀の小規模化と単価下落が定着し、長期的になだらかな縮小傾向が続くと見ているのだ。寺院と同じく葬祭業界も「多死社会」を前にして順風満帆ではないようである。

誤解されることが少なくないが、小規模化も低価格志向もコロナ禍によって起きたわけではない。「家族葬」のようなコンパクトな葬儀は、コロナ禍前から利用が拡大していた。その背景には超高齢化と人口減少がある。

要因の一つは、職場の人間関係が変質し、企業が社員の親族の葬儀に関与しない傾向が強くなってきたことだ。

かつては、生前の故人と全く交流がないにもかかわらず勤務先の同僚の身内というだけで参列したり、部署ごとに香典を集めたりということが当然のように行われていた。受付や会場までの道案内も、大半は職場関係者が担っていた。

しかしながら、いまはどの企業も多くの従業員を葬儀のために動員する余力はない。

仕事が高度化したことや、転職する人が増えたこともあって職場から家族的雰囲気が消えたこともある。このようにして会社からの参列がなくなると会葬者は少なくなる。あえて大きな葬式をする必要がなくなったということだ。

地域の結びつきが強く残っている地方は別として、大都市などでは身内以外に葬儀を知らせない人が増えた。近所づきあいが希薄化したこともあるが、親族の死を「プライベート」ととらえる価値観が広がってきているのである。死亡した事実すらすぐに公表しない人も増えている。「香典返しが面倒」という理由で受け取りを辞退する人も多い。こうした価値観は定着していくだろう。

超高齢者の葬儀の会葬者が少ない

社会の変化もさることながら、葬儀の小規模化や低価格志向を進めた大きな要因は亡くなる人の年齢にある。「人生100年時代」となり、極めて高齢になった人の葬儀が増えてきているのだ。

厚労省の「簡易生命表」は2021年の平均寿命を男性81・47歳、女性87・57歳としているが、実際にはもっと長く生きる人のほうが多い。出生者のちょうど半数が生存すると期待される年数を「寿命中位数」というが、2021年は男性84・39年、女性90・42年である。90歳まで生存する割合は男性27・5％、女性52・0％だ。ちなみに、最も死亡する人が多い「死亡年齢最頻値」は男性88歳、女性93歳である。

90歳前後で亡くなったのでは、会葬者が少なくなりがちだ。少子化で親族自体が減っていることに加えて、兄弟姉妹がいたとしても高齢で斎場に行くことができるとは限らない。同級生などの友人や知人も同様である。

勤務先を定年退職してから25〜30年も経っているのだから、かつての職場の同僚が会葬に訪れることも少ないだろう。地域住民の参列がほとんどない大都市で、こぢんまりとした葬儀が増えるのはこうした理由もあるのだ。

「直葬」を選ぶ人も

葬儀費用の低価格志向の強まりも超高齢化が影響している。

90歳前後まで生きるとなると、老後の生活資金として貯めた預貯金が目減りし、乏しくなる人が少なくないだろう。一人暮らしや高齢夫婦のみという世帯も増えている。

90歳前後の葬儀となると、その子供は60代後半から70代の高齢者だ。亡くなった人を

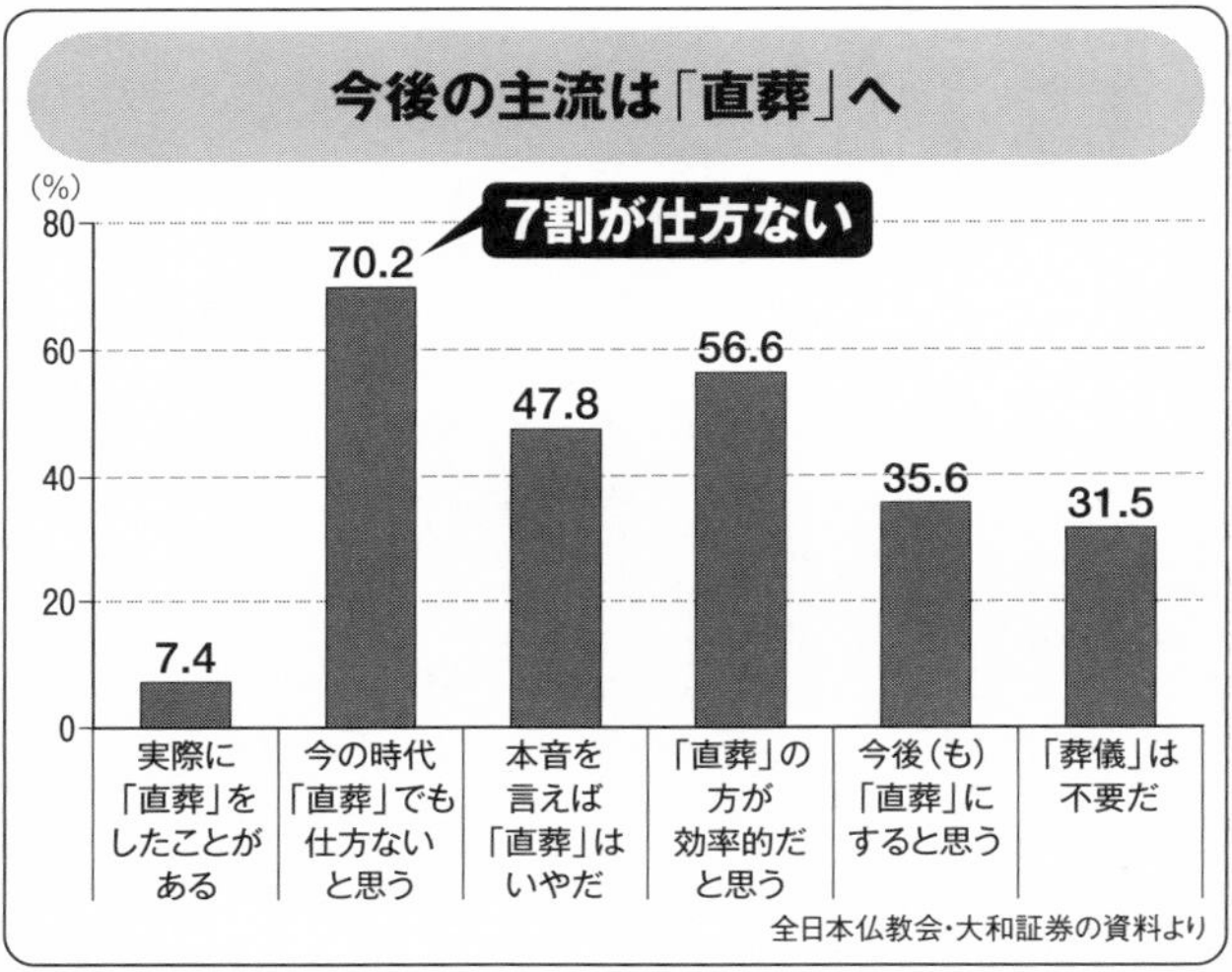

全日本仏教会・大和証券の資料より

含む世帯全員が年金生活者ということも、今後は珍しくなくなる。

亡くなった人が「自分の葬儀代ぐらい預金してある」という場合はいいが、そうでなければ「身内だけの会葬で、なるべくリーズナブルにしよう」となるのも自然の流れだ。

身内だけの「家族葬」どころか、宗教儀式を行わず火葬する「直葬《ちょくそう》」を選ぶ人も珍しくなくなってきている。

公益財団法人全日本仏教会と大和証券株式会社による「仏教に関する実態把握調査（2020年度　臨時調査）報告書」によれば、「直葬をしたことがある」との回答は7・4%だ。1割弱が選択しているのである。「本音を言えばいやだ」と否定的な人が47・8％いる一方で、「効率的だと思う」が56・6％、「今後もすると思う」が35・6％となっている。

「小さなお葬式」のブランドで知られるユニクエストの調査（2022年2月〜5月）によれば、過去1年以内に行われた葬儀の形式は「直葬」が13・3％で「一般葬」（19・5％）との差は小さい。葬儀費用の全国平均は「一般葬」の約191万円に対し、「家族葬」は約110万円、「直葬」は約36万円だ。コロナ禍にあって多くの人の意識に変化が生じたという側面もあるが、今後「直葬」が普及していくと、葬儀業の市場規模は一層縮むこととなる。新規参入が活発なだけに、さらなる低価格化が進むことも予想される。こうなると、顧客が増えても思うように利益が上がらなくなる。

葬儀業はローカルビジネスである

葬儀業が「多死社会」という大きなビジネスチャンスを十分に生かし切れないのは、業界特有の事情もある。

葬儀では、亡くなった人の居住地近くの葬儀社や斎場を利用することが一般的である。ご遺体を遠方まで運ぶことは困難であり、火葬場は大半が公営で周辺住民は割安な料金で利用できることが多いためだ。要するに、葬儀業とはローカルビジネスなのである。

営業で他地域を開拓するわけにもいかず、葬儀社が立地するエリアの人口が減れば市場も縮小する。日本全体の死亡数の増加に応じて、どの地区も平等にマーケットが拡大するとはいかないのである。これでは、全国展開していない葬儀会社は国内マーケットの縮小に悩む他業種の企業と何ら変わらない。

高齢者人口がすでに減少している地域に立地している葬儀社の場合、全国マーケットを対象にできる他業種の企業よりも早く経営が厳しくなりかねない。そうしたことが想定されるようになれば、高齢者が増えて成長が見込める大都市などへと拠点を動かすことになるだろう。

葬儀件数の地域差は大きい。大都市圏では火葬の日まで遺体を預かる「遺体ホテル」というニュービジネスが成り立つことでも分かるように、〝火葬待ち〟が起きるところもある。葬儀件数の地域差がさらに拡大したならば、将来、人口激減地区から葬儀社が相次いで撤退して葬式を執り行うだけでも一苦労というところが出てくるかもしれない。

「ごみ難民」が多発、20キロ通学の小学生が増加
――地方公務員に起きること

まもなく公務員不足に陥る

人口減少の影響は、地方公務員も無関係ではない。小規模の市役所や町村役場の場合、採用試験の応募者はそこの出身者であるとか、学生時代に下宿していたとかいった何らかの縁を持っている人が大半だ。

ところが、総務省の「住民基本台帳に基づく人口、人口動態及び世帯数」（2022年1月1日現在）を見てみると、2021年は128の自治体で出生数が10人未満だった。このうち2つの地方自治体は出生数ゼロだ。年間一桁しか子供が生まれない地方自治体では、20年もしないうちに公務員試験の受験者不足に陥る可能性が大きい。

そもそも、すべての若者が地方公務員志望ということではない。出生数の減少が続いていけば、多くの地方自治体で計画通りの採用ができなくなる。

日本は、人口あたりの公務員数が極端に少ない国とされるが、総務省の「地方公共

団体の総職員数の推移」によれば、2021年の地方公務員の総数は280万661人（このうち一般行政は93万4521人）だ。

住民の高齢化が進み、きめ細やかな個別対応を求められる場面が増えてきているが、バブル経済崩壊以降の地方公務員数は減ったままだ。最多だった1994年の328万2492人と比べると2021年は14・7％も少なくなっている。

地方公務員がブラック化する未来

一方で、住民数のほうも減っていくのだから地方公務員数が少なくなっても業務に差し支えないようにも思えるが、そう単純ではない。

人口が増加していた時代においてすでに過疎地だった地区はある。こうした地区の住民がただちにいなくなるわけではないので、これまでと同規模の自治体職員数を必要とするからだ。

むしろ、こうした過疎地域では今後、生活環境が厳しくなることが予想され、これまで以上に職員数を増やさなければならなくなる可能性もある。平成の大合併を経て、地方の小規模自治体には広大な過疎地域を抱えることとなったところが増えた。総じて出生数が少なく、公務員のなり手も乏しい「地方」の小規模自治体ほど、住民が減っても地方公務員を減らしづらいのである。

これについては、総務省が、２０４０年に必要となる地方公務員数（教員、警察職員は含まない）を推計し、２０１３年と比較する形で減少率を公表している。政令指定都市のこの間の人口減少率は９・２％だが、公務員数はほぼ同じ９・１％減らすことができる。一方、人口１万人未満の町村は人口が37・０％減るのに24・２％しか減らすことができないというのだ。

総務省の人口推計によれば、２０２１年10月１日現在の20〜64歳の日本人人口は６６６９万５０００人だが、社人研の将来推計によれば２０４５年には４分の１ほど少ない４９０５万４０００人となる見込みだ。ここまで減ると、地方公務員の確保も相当難しくなる。

日本総合研究所の推計は、２０４５年に現行水準の行政サービスを維持するには地方公務員数が約83万９０００人必要だが、約65万４０００人しか確保できず、充足率は78・０％まで低下するとしている。自治体規模別では大都市（政令市、中核市、特例市）の充足率が83・０％、一般市が74・５％、町村が64・６％で、小規模自治体ほど人手

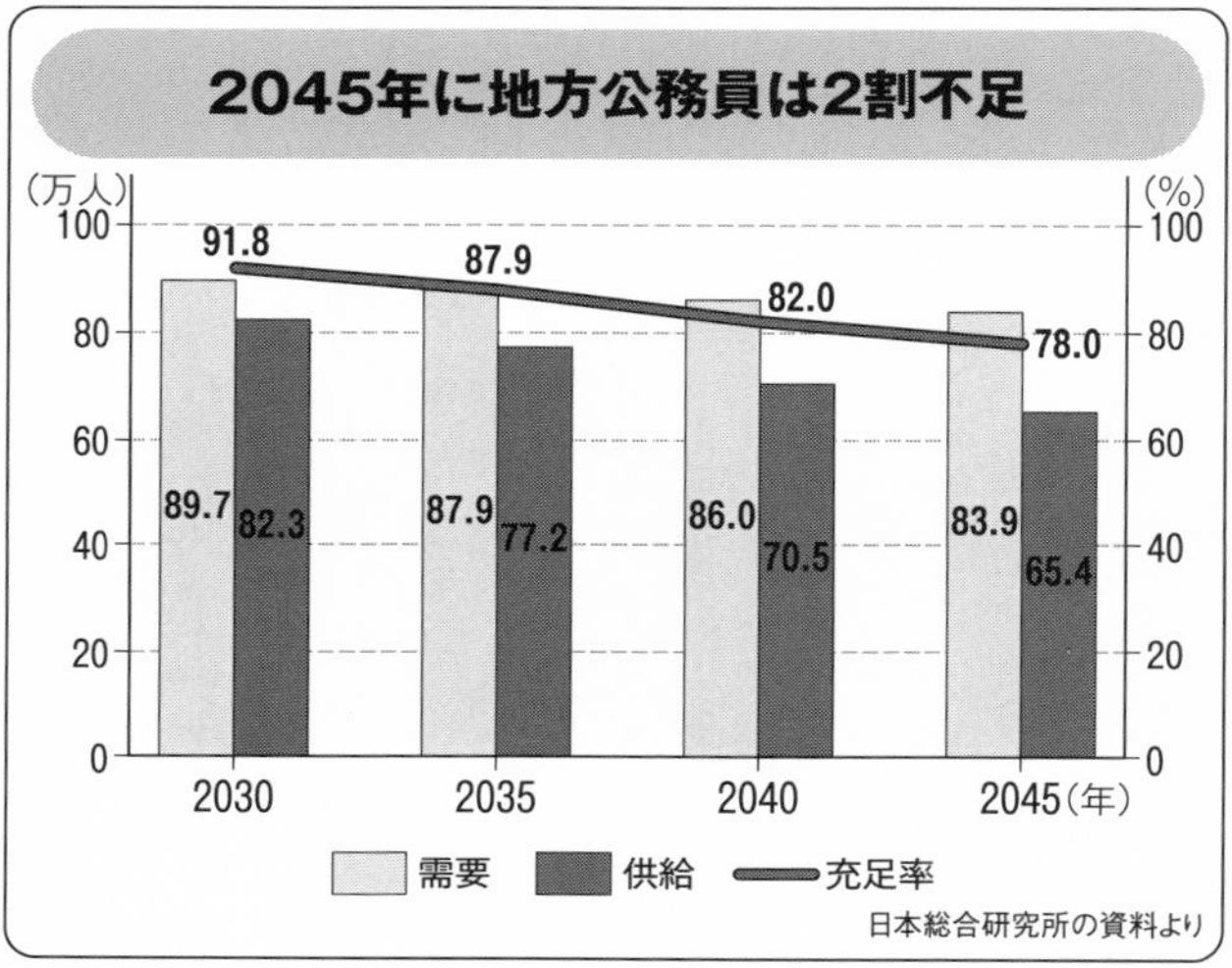

不足が深刻になる。

　これを裏付けるようなデータがある。公益財団法人東京市町村自治調査会の「自治体における窓口業務改革に関する調査研究報告書」(２０２０年)が生産年齢人口の減少率を基に窓口業務にあたる住民課正規職員数の増減率を計算しているのだが、２０４５年には２０１８年と比べて、多摩市30・３％減、八王子市29・２％減、町田市24・２％減など軒並み激減となる。

　市役所や町村役場などが最低限必要とする職員数を２〜３割も欠いたならば、窓口対応だけでなく、政策立案能力が低下する。そうでなくとも、平成の大合併で自治体の面積が拡大したところが少なくなく、1人の職員が受け持つ担当エリアはかつてに比べて拡大傾向にある。そうした状況でマンパワーが足りなくなったのでは、迅速な対応ができない場面が増加するだろう。

ごみの収集コストが高くなる

行政サービスの劣化が進む要因は、職員数の不足だけではない。

住民数が減り、しかも年金収入を中心とする高齢住民の割合が増えることで、個人住民税や地方消費税、法人事業税、法人住民税といった地方税収(都道府県税と市町村税)が少なくなっていく。地方税収が減れば地方自治体の単独事業を廃止、縮小せざるを得なくなり、ますます行政サービスは質を保てなくなる。

人口密度が低下した地域ではごみの収集コストが高くなっている。ごみ焼却施設の老朽化や道路の補修が遅れたり、地域包括ケアシステムなどが十分に機能しなかったりといった事例も出てきている。行政サービスや生活を支える公的サービスが十分に届かないケースが今後は増えそうだ。

小中学校の統合が加速

地方公務員が減ることに伴う弊害は、市役所や町村役場内だけで起きるわけではない。住民が不便さを感じるようになることも多い。その代表例が小中学校の統合だ。出生数が減っている地区を中心に、すでに進み始めている。

統合が進む背景には、地方財政が厳しい状況に置かれていることがある。小規模校のままでは教員の確保や校舎などの維持管理が非効率になりやすいためだ。若者の人口減少に伴って教員の採用も困難になっていく中で今後は教員不足も加速化していく。勤務地を分散させられなくなってきているのである。

学校教育法施行規則が小学校の標準的な学級数を12〜18としていることもある。小規模校（11学級以下）ではクラス替えができずに人間関係が固定化したり、集団行事・部活動に制約がかかったりといったデメリットが生じるためだが、全体の約半分（9458校）は11学級以下（2021年）となっている実情もあり、各教育委員会は規模の拡大を迫られているのである。

文部科学省によれば、2009年度の3万2018校から、2019年度は2万8803校へと10年で1割ほど減っている。また、同省が市区町村の教育委員会などに実施した調査では、2019〜2021年度の3年間だけで統合数は437件（1055校が454校へと再編）に上っている。

1752市区町村のうち統合事例があったのは17％だ。統合形態としては、小学校同士が273件、中学校同士が94件、義務教育学校の設置が51件、施設一体型の小中一貫校が16件、その他が3件である。

8・4人に1人が「東京都生まれ」

小規模校が誕生するのは、出生数減少だけが理由ではない。地域偏在が拍車をかけている。総務省の「住民基本台帳人口移動報告」によれば、2021年に東京都へ転入した女性は19万7947人だが、このうち20〜24歳が5万8355人（29・5％）、25〜29歳が4万6152人（23・3％）、30〜34歳が2万3803人（12・0％）を占めている。

出産適齢期の女性がこれだけ東京都に流出したならば、地方の出生数が少なくなるのは当然のことである。厚労省の人口動態統計（2020年）によれば、都道府県で出生数が最多だったのは東京都（9万9661人）だ。最も少ない鳥取県は3783人でしかない。2020年の年間出生数は84万835人なので、いまや新生児の8・4人に1人は「東京都生まれ」なのである。

しかも、各県内においても地域偏在が進んでいる。多くは県庁所在地など人口の多い地方都市で生まれている。同じ地方圏にあっても県庁所在地などではない自治体を中心として小規模校が誕生しているのだ。

「大人の事情」によって進む統合だが、影響を受ける子供たちにとっての一番の課題は通学時間が長くなることだろう。2019～2021年度では、統合によってスクールバス通学が156件から325件へと増加している。通学距離20キロ以上の人がいる学校は、小学校で8%、中学校では14%に及んでいる。自宅からここまで離れてしまうと、低学年の子供たちにとっては精神的負担の大きさが懸念される。

地方消滅への道

ちなみに、小中学校の統合というのは簡単にはいかない。該当する学校があるにもかかわらず統合できなかった事例は199に上った。「地理的要因や通学距離の関係で困難」（46%）、「域内の小中学校が1校ずつしかない」（39%）ことが主な理由だが、地元の理解の取り付けも大きなハードルだ。学校の規模の適正化に向けた課題や懸念として、89％の教育委員会が「保護者や地域住民との合意形成」を挙げている。

学校がなくなる地域の住民の反対が根強いのは、地域そのものの〝消滅〟に直結する恐れがあるためだ。学校がなくなると、子育て世帯の流出が予想されるばかりか、ファミリー層の移住者の受け入れも難しくなる。子育て世帯が減れば、農業をはじめとする地域産業は担い手不足となり、公共交通機関や地元商店の廃業や撤退へとつながる。地域人口の減少を加速させる引き金になるとの懸念である。

反対論を理解しないわけではないが、少子化が深刻化する社会においてすべての学校を維持することは困難である。一方で、「規模の拡大」が最終的な解決策というわけではない。地域の人口が減り続けて地方自治体の存続すら危ぶまれるようになれば、再統合を迫られる。地方公務員の採用難も、公務員不足による行政サービスの劣化も「消滅」へと歩みを始めた地方自治体が通る道である。

60代の自衛官が80代～90代の命を守る

――安全を守る仕事に起きること

安全を守る人が大不足

人口減少がもたらす公務員への影響は、国民の「安全安心」を守る自衛官や警察官、海上保安官、消防士といった職種も襲う。「若い力」を必要とする職務が多いだけにより影響は直接的だ。

自衛隊の場合、２０２１年度は定数24万７１５４人に対し現員数は23万７５４人で、充足率93・４％だ。防衛省の「２０２２年版防衛白書」によれば過去10年で一度も定数を満たしたことがない。すでに慢性的な人手不足に陥っているのである。

指示を受けて最前線で働く「士」と呼ばれる階級に至っては、充足率が79・８％というのだから深刻だ。業務別では、とりわけ艦艇や潜水艦の乗組員、サイバー分野の人材が不足しているとされる。

自衛隊は、冷戦の終結に伴い一部で組織のスリム化を図ってきた。近年は装備が高

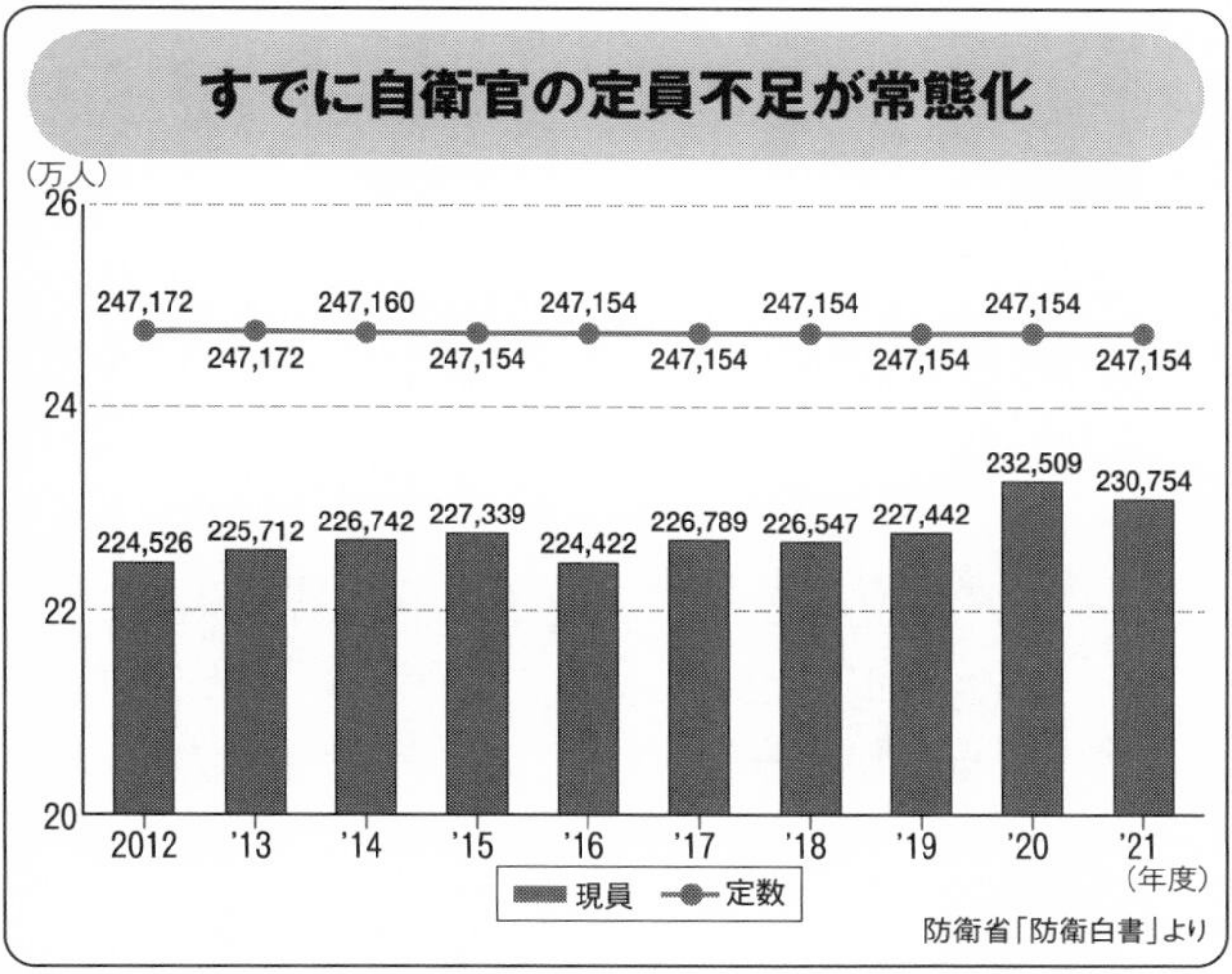

すでに自衛官の定員不足が常態化

性能化している。情報通信技術の革新は少人数部隊による広域警戒を可能とし、部隊運用の即応力を高めた。先進各国では少子化をにらんで、軍隊の小規模化や高機動化に向けた取り組みを進めている。

だが、こうした装備の技術革新による省力化には限界がある。しかも、ロシアのウクライナ侵攻によって国際情勢は大きく変わった。とりわけ日本の場合には、尖閣諸島をめぐる中国の脅威や台湾有事が現実的な危機になり始めている。中国のみならず、ロシアや北朝鮮の軍備増強も顕著となり、東アジアをとりまく安全保障環境は戦後最悪と言われる。

さらに、自然災害が多発かつ大型化し、「人海戦術」に頼らざるを得ない被災者の救助活動は増えている。被災後の行方不明者の捜索は対象エリアが広範化し、活動期間が長くなっている。定数を減らすどころか、増やす必要があると思えるほどだ。こんなタイミングでの出生数減少スピードの加速は致命的でさえあり、日本は極めて危うい。

自衛官をどう増やすか

こうした状況に対して、防衛省は民間企業と同じく採用対象年齢の拡大や女性の積極登用、雇用の延長に乗り出している。

自衛官の場合、職務の特殊性から階級ごとの職務に必要な知識、経験、体力などを考慮して大半が50歳代半ばで退職する「若年定年制」や、2～3年を1任期として任用する「任期制」といった一般公務員とは異なる人事管理を実施している。「任期制」とはなじみがないが、民間企業でいえば契約社員のような存在である。任期終了時に自衛官として勤務を継続するかどうかを選択することとなるので20代～30代半ばで退職する人が少なくない。

こうした特殊な人事制度を〝少子高齢化対応バージョン〟へと改めようというのである。

手始めに、2018年に一般曹候補生および自衛官候補生の採用上限年齢を「27歳未満」から「33歳未満」に拡大した。応募者を増やす一方、待遇改善も図り、離職者を減らす取り組みを行っている。

同時に、女性自衛官についても積極的な採用を進めてきている。女性が全自衛官に占める割合を見ると2022年3月末現在で約8・3％（約1万9000人）だ。2012年3月末は約5・4％だったので2・9ポイント増えた。防衛省は、自衛官採用者に占める女性の割合を2021年度以降17％以上とし、2030年度までに全自衛官に対する割合は12％以上とする方針だ。

また、2020年からは定年年齢の段階的な引き上げを進めている。定年退職後の再任用者は、これまでは大半がデスクワークに就いていたが、今後は部隊などでの活用も促進していくのだという。予備自衛官についても、「37歳未満」だった士長以下の採用上限年齢を「55歳未満」に変更し、継続任用時の上限年齢は「61歳未満」から「62歳未満」などに見直した。

だが、こうした努力も、少子化に伴う自衛官志望者数の減少の前には焼け石に水である。民間企業も人手不足が拡大しており、勤労世代の奪い合いが激烈になっていくことが予想される。

国防という仕事は適性を強く問われ、誰にでもできるわけではない。しかも〝戦争〟がこれまで以上にリアルに感じられる時代となった。採用の上限年齢を引き上げたからといって、そのまま応募者が増えるわけではないだろう。出生数の減少で人材の裾野が狭まり続ける限り、定員割れが改善することは望めない。

退職者の〝現場〟への復帰などは、まさに追い込まれての苦肉の策といったところだが、このまま少子化が進めば、「退職自衛官」中心の部隊が国防の最前線に立つことになりかねない。「60代の自衛官が、80代〜90代の国民を守るために命をかけて戦う」という未来図が想像される。超高齢国家の国防とは何ともシュールだ。

警察の採用上限年齢「36歳」の衝撃

警察も自衛隊と同じく体制の維持に苦労しそうだ。

「2022年版警察白書」によれば、2022年度の警察職員の定員は29万6194

人である。このうち地方警察官は25万９０８９人だ。地方警察官については、警察力強化のために２００１年度から２０２１年度までに3万１９７０人の増員を行ってきた。

しかしながら、少子高齢化に伴って新規採用が困難になり始め、警視庁や各道府県警察本部の多くは「高卒区分」も含めて採用上限年齢を30代半ばにしている。警察庁の資料によれば、「高卒区分」を20代としている県警本部は3県、「大卒区分」の上限を20代としているのは「29歳」の沖縄県警本部のみだ。兵庫と鹿児島両県警本部は両区分とも「36歳」である。

だが、上限年齢を引き上げてもその効果は小さい。それ以上に若い世代が減っていくからである。警察官志望者の多くは出身県の警察本部に就職する傾向にある。「地方」ほどその傾向は強い。

そこで、採用対象年齢に概ね合致する20～34歳人口の将来見通しについて奈良県を例に挙げて調べてみよう。２０２０年の国勢調査で奈良県におけるこの年齢層の人口は17万７４２８人だ。これに対して、社人研の将来推計では２０３５年に17・６％減の14万６２８７人、２０４５年には31・３％も少ない12万１８６４人になると予想している。２～３割も減ったのでは、計画通りの採用とはいかないだろう。

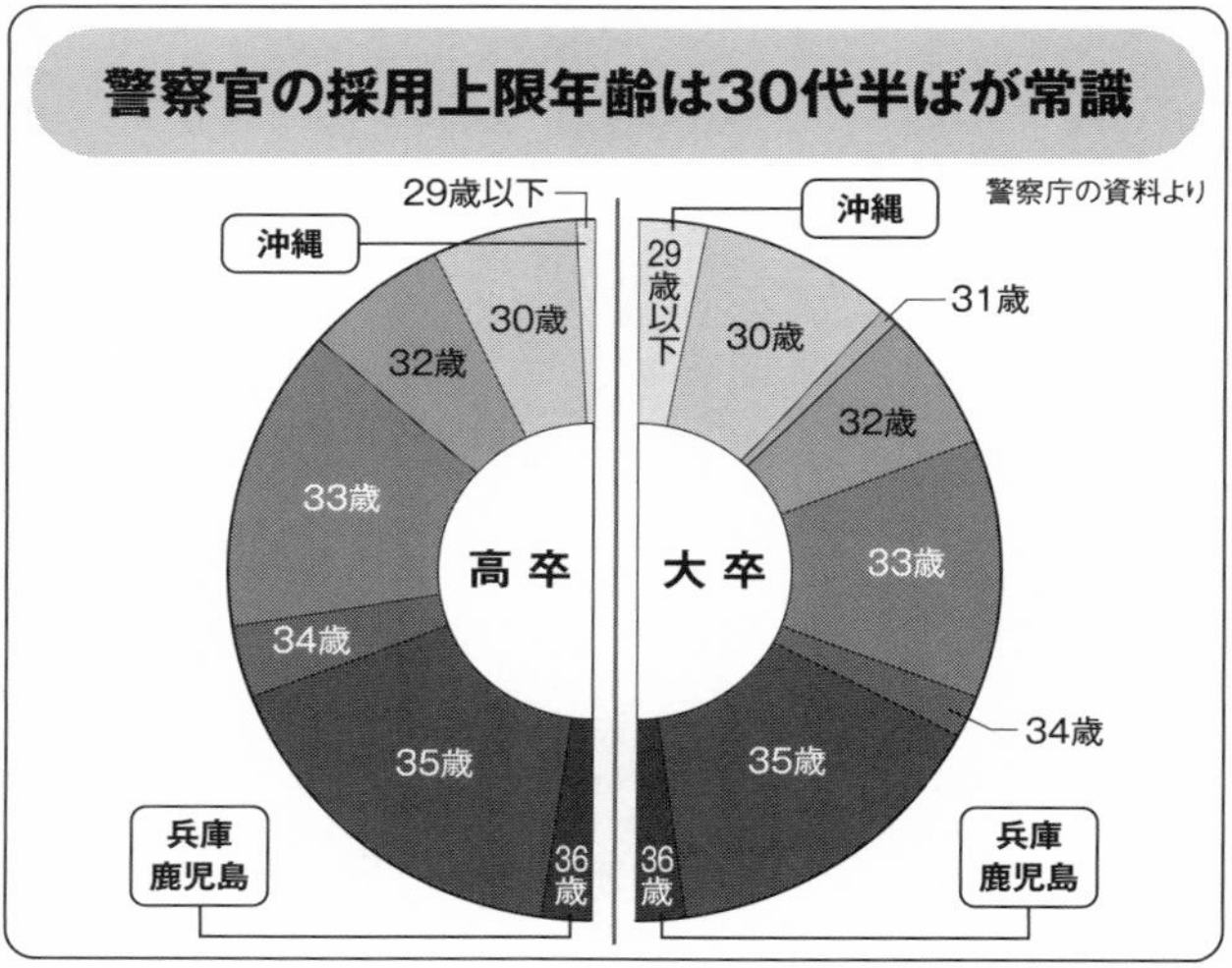

他方、退職者の活用にも積極的に取り組み始めている。交番相談員などの非常勤職員として登用が増えた。即戦力の退職者が引き続き現場業務に補完的立場で携わるというケースも多くなった。

公務員制度改革によって今後は段階的に定年年齢が引き上げられていくが、それは同時に組織の高年齢化を招くということである。警視庁が職員の年齢構成の変化を推計しているが、60代前半の職員は2022年時点の2・9％から、2042年には14・8％を占めるまでになる。50～65歳として計算し直すと、2022年は21・6％だが、

2042年には40・6％に達する。警察業務においては粗暴な凶悪犯に立ち向かわなければならない場面も少なくなく、「若い力」が不可欠な組織だ。そうした意味で、4割が50歳以上というのは問題が大きい。

2040年、ほとんどの人に災害リスクあり

警察官の不足が予想される一方で、住民の高齢化に伴い業務量は増えそうである。「振り込め詐欺」やインターネットを利用しての高齢者をターゲットとした犯罪は増加傾向にある。認知症患者の増加に伴って行方不明となるお年寄りも増えた。地方では、若かった頃のつもりとなって山菜採りなどに出かけ、繰り返し遭難する高齢者もいる。そのたびに警察官が捜索に出て時間をとられている。

首都直下地震も懸念されるが、国交省の資料によれば、洪水、土砂災害、地震、津波のいずれかの災害リスクが予想されるエリアに住む「4災害影響人口」は2050年には総人口の70・5％に達するとしている。社人研によれば同年の高齢化率は37・7％だ。相当数の災害弱者がリスクの高いエリアに住んでいるのである。

〝災害弱者〟が増えるのに、警察官不足が広がったのでは被害の拡大が懸念される。

助けを求めても、すぐに駆けつけてくれるとは限らないということだ。

住民同士の助け合いが必要となるが、個人情報保護の重要性がことさら強調され、避難が困難な高齢者がいても地域住民が把握していないことが多い社会となった。「救助に来てほしい」という場面が増えるというのに、警察官は不足していくのである。「自分の命は自分で守る」ためにも、誰がどの高齢者に声がけをしてから逃げるのかといった、本番さながらのかなりリアルな防災訓練をしておかないと、イザというときに動けない。

救急車が救急でなくなる日

緊急時に助けを求めるといえば、救急車も今後は利用困難となるかもしれない。総務省消防庁の「2021年版消防白書」によれば、2021年4月1日現在3万4107人の救急隊員が実際に従事している。救急隊員数は増加しているが、そのペースはゆるやかで、過去10年ほぼ横ばい状態にある。

少子化による働き手世代の減少を考えれば、救急隊員の採用は年々難しくなる。団塊ジュニア世代が退職期を迎える2030年代に入ると深刻な人手不足が予測される。

消防庁の資料によれば、搬送者数は高齢化に伴って増え、2035年頃には現在より1割ほど増えてピークを迎える。

これについては、横浜市が独自の推計を行っているが、2030年の出場件数は2015年に比べて1・36倍の24万3304件になるというのだ。横浜市の場合には1回の出場にかかる活動時間は約90分で、このまま推移すれば地区によっては救急車が不足するとしている。これは横浜市に限ったことではないだろう。

「2021年版消防白書」は2020年の病院収容所要時間（119番通報を受けてから医師に引き継ぐまでに要した時間）が平均で約40・6分だったとしているので、大幅に伸びるということだ。搬送先の病院が中々見つからないということによる要素が大きいだろうが、高齢者の一人暮らしが増えて救急車に乗せるまでに時間がかかるようになるという側面もあるだろう。

他方、小規模の消防本部ではすでに搬送者数の減少が始まっている。だが、ニーズが減れば体制の縮小も進むので、今後はむしろ救急隊員1人あたりの負担が重くなることも予想される。

これら3職種だけでなく、国民の命を直接的に守っている他の職種でも少子化に伴

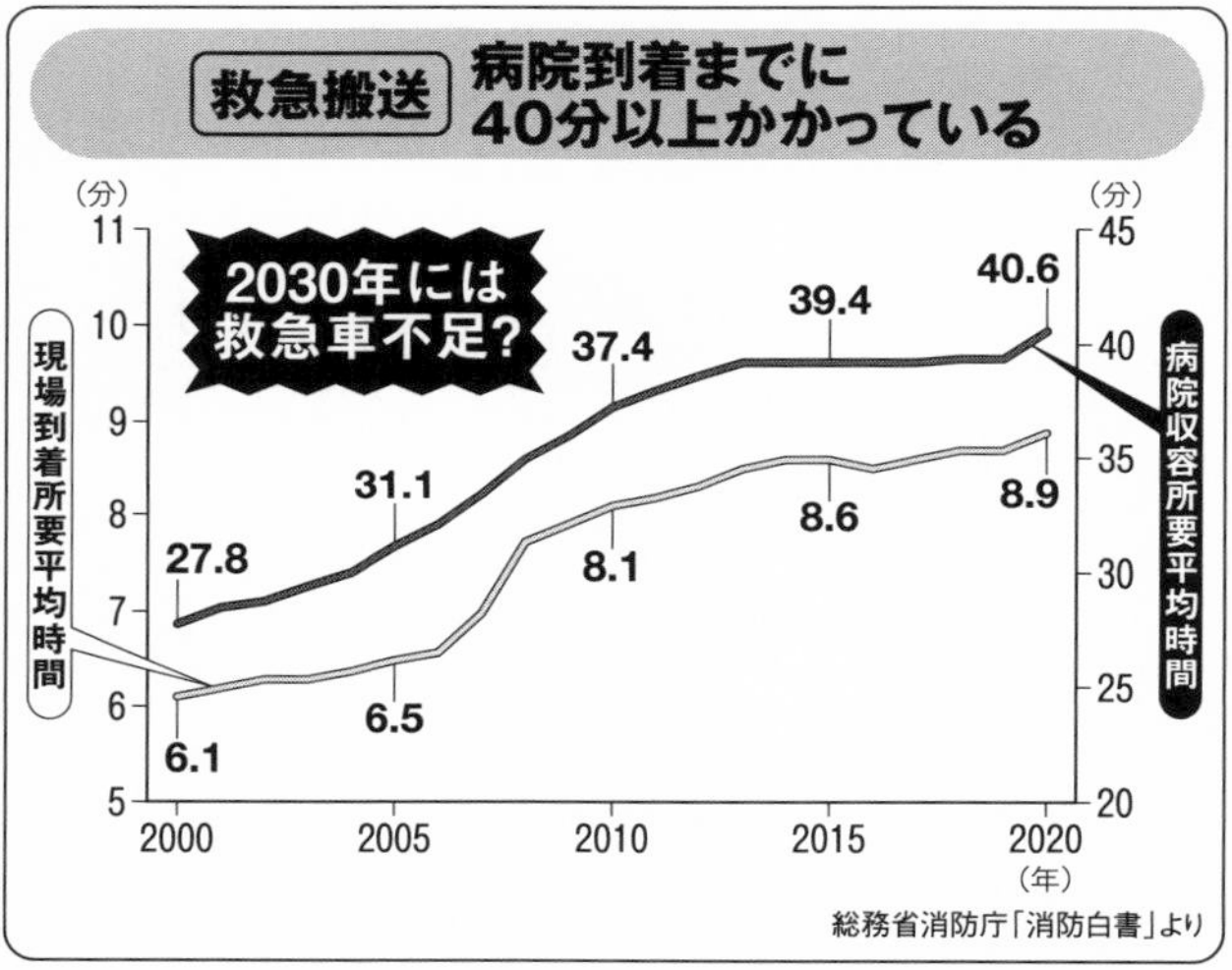

う採用難は広がりを見せる。かつて「日本人は空気と水と安全はただ(無料)だと思っている」と言われたが、少子高齢化が進みながら人口が減少していく社会においては、「安全安心」は大きく損なわれることとなりそうだ。

第２部

戦略的に縮むための「未来のトリセツ」（10のステップ）

瀬戸際の日本企業に求められること

第1部では、瀬戸際にある日本で各業界や職種にどんな「未来」が待ち受けているかを可視化した。紙幅の限界もありすべてを取り上げられなかったが、各職種や業務内容に照らし合わせていただければ、それぞれの「未来」がおおよそ見えてこよう。

「人口減少」というのは即効性のある対応策がないだけに、言葉を聞くだけで気持ちが沈むという人も多いだろう。それは従来の社会常識、過去の成功体験にとらわれているからだ。日本人が消滅せんとする、我が国始まって以来の危機なのである。昨日までと同じことをしていてうまくいくはずがない。現状維持バイアスを取り除き、社会の変化に応じて発想を変えたならば違った未来が見えてくる。その先にこそ、人口減少に打ち克つ方策があるのだ。

誤解がないよう予《あらかじ》め申し上げるが、「人口減少に打ち克つ」というのは、どこかの政治家が選挙公約で掲げるような「人口減少に歯止めをかける」という意味ではない。

過去の出生数減の影響で、出産可能な年齢の女性はすでに減ってしまっており、今後もどんどん少なくなっていく。日本の人口減少は数百年先まで止まらないだろう。

この不都合な事実を直視するしかない。すなわち、ここで言う「人口減少に打ち克つ」とは、人口が減ることを前提として、それでも日本社会が豊かであり続けられるようにするための方策を見つけ出すことだ。社会やビジネスの仕組みのほうを、人口減少に耐え得るよう変えようというのである。

日本は、諸外国と比べて外需依存度の低い国である。一般社団法人日本貿易会の「日本貿易の現状2022」によれば、2020年の貿易依存度（GDPに対する輸出入額の割合）のうち輸出財は12・7％である。コロナ禍前の2011～2019年を見ても12～14％台で推移してきた。ちなみに、2020年のドイツは35・9％、イタリアは26・3％、カナダは23・8％だ。

もちろん、日本企業の技術力が低くて海外では製品やサービスが売れないために低いわけではない。むしろ高い技術力を誇っている。日本は「加工貿易国」ではあるが、多くの企業は、あえて海外で利益を上げなくともやってこられたということだ。日本は世界11番目の人口大国であり、国内需要だけで十分経営が成り立ってきたのである。

しかも、日本は外国人が極端に少ない〝同質的な社会〟である。2020年の国勢調査によれば日本人人口1億2339万8962人に対して、2747万1337人と

2・2%ほどに過ぎない。国内マーケットは日本語というバリアによって守られ、外国企業の攻勢にさらされることが少なかったということである。

このように恵まれた環境に安住してきた日本企業の多くが、人口減少によって安定経営の源であった〝虎の子のマーケット〟を手放すのである。天地がひっくり返るような一大事に直面しているのだ。

しかも本書が何度も繰り返してきた通り、それは単に実人口が減るだけでは済まない。高齢化に伴って1人あたりの消費量が減るというダブルでの縮小である。経営者の大半は人口減少の影響を想定しているだろうが、多くの人がイメージするより変化は速く、かつ大きくなりそうだ。

営利企業の場合、業種を問わずいずれ外需の取り込みを図らなくてはならなくなるだろう。だが、闇雲に挑んで行っても、生き馬の目を抜く外国企業との競争の前に淘汰されるのがオチだ。何事も準備が肝要である。一方、縮小するからといっても国内マーケットはしばらく1億人規模を維持する。早々と見切りをつけるわけにはいかない。何より国民の安定的な暮らしの維持を優先されなければならない。いま日本企業に求められているのは、(1)国内マーケットの変化に合わせてビジネスモデルを変える、⑵海外マーケットに本格的に進出するための準備を整える――という二正面作戦である。

国内マーケットの縮小と同時進行で勤労世代は激減していくので、この先、国内だけで勝負するにしても、人口が増えていた時代の経営モデルのままでは立ち行かなくなる。無駄な抵抗を続けて時間をいたずらに消費するようなことはせず、思い切って変わったほうが展望を開きやすい。

人口減少に打ち克つ「10のステップ」

そこで第2部では、人口減少に打ち克つための手順を「10のステップ」として示す。いわば戦略的に縮むための「未来のトリセツ」だ。すべての業種に当てはまるわけではないだろうし、企業を想定しているので行政機関にはそぐわない部分があることはご容赦いただきたい。それぞれが抱える課題に応じて必要な部分を参考にし、活用いただければと思う。「未来のトリセツ」をベースに、各企業、行政機関には一刻も早く「人口減少対策モード」に切り替えてもらいたい。それが日本を救う道である。

ステップ1

量的拡大モデルと決別する

パイの奪い合いは無意味

人口減少に打ち克つためには発想の転換が必要だと述べたが、まずすべきは量的拡大というこれまでの成功モデルとの決別である。

私は企業経営者とお会いすることが多いが、頂いた会社案内のフロントページに「業界シェア№1」とか、「○○地区で売り上げトップ」といった大きな見出しの文字が躍っているケースがいまだ少なくない。

人口がどんどん増えていた時代には売り上げを伸ばすことが、そのまま利益の拡大を意味していた。しかしながら、国内マーケットが急速に縮小する社会において、パイの奪い合いをしても誰も勝者にはなれない。

パイの奪い合いを続けていくことがいかに無意味なことかは、金貨が１００枚入っている器をイメージして考えれば理解しやすいだろう。金貨は人口、すなわち国内マーケットのことだ。

現状において、業界トップの企業がシェアの半分である50枚、2番手企業が35枚、3番手企業が15枚を手に入れていたとしよう。しかしながら、人口減少とは数十年後に金貨70枚のゲームに変わるということである。仮に、業界トップ企業がシェアを50％から60％に伸ばしたとしても得られる金貨は42枚でしかなく、現状より8枚減る。金貨の絶対数がどんどん減っていく社会においては、シェアが１００％になろうとも手にできる金貨は年々少なくなっていくのだ。拡大どころか現状維持すらできない。国内需要を当て込む以上、シェアの拡大モデルでは限界があるということだ。

こうした点を踏まえず、生産体制強化のための設備投資や店舗数の拡大をしている企業が少なくない。目の前の需要に応え、ある時点までは売上高を大きくすることはできるだろうが、人口減少社会ではそうした投資はいずれ経営の重荷となる。拡大のための投資を一切すべきでないとは言わないが、今後の人口の変化に応じていつでも転用や撤退ができるようにしておく必要がある。

ステップ2

残す事業とやめる事業を選別する

「戦略的に縮む」という成長モデルへの転換

量的拡大と決別したならば、次に取り組むべきは、「戦略的に縮む」という成長モデルへの転換である。シェア争いをやめても、単に縮小均衡を繰り返していったのでは展望が開けない。

国内需要が縮小するのに、現状の規模で製品やサービスを提供し続ければ供給過剰となることは目に見えている。しかも複雑なのはその先だ。国内マーケットの縮小と同時進行で勤労世代も減っていくため、多くの企業は恒常的な人手不足に陥りどこかの段階で現状の生産・提供体制を維持できなくなる。人口減少社会においては、需要不足と供給能力不足が、若干のタイムラグはあるもののほぼ同時に起きるのである。

現状維持や拡大のためにどんなに無理を重ねようとも、結局はどちらかの理由で続かなくなる。そうした意味において結論は同じなのである。この「現実」を無視した経営を続けていると、どこかでパンクする。

そこで「戦略的に縮む」という成長モデルの出番となる。二重の意味で縮んでいく国内マーケットと勤労世代の減少という「ダブルの変化」に対応するためには、追い込まれる前に戦略性をもって自ら組織のスリム化を図ることである。それが「戦略的に縮む」ということの意味だ。

事業を多角化させている企業は多い。社会ニーズが複雑化する中で業務の範囲も肥大化しがちだ。しかしながら、出生数はこの20年間で30・7％減っており、新規学卒者の採用は年々困難になっていく。転職者採用も〝即戦力〟となる人材は争奪戦が激しく、すべての企業が計画通りに採用できるとは限らない。

戦略を持たず、人口が減るに任せていたのでは組織規模は縮小し、各部署の余裕がなくなっていずれも衰退していくだろう。やがて企業としての競争力を失い、追い込まれていくこととなる。

そうならないためにも組織体力のあるうちに、「残す事業」と、「やめてしまう事業」を仕分けするのである。その上で、「残す」と決めた事業に人材も資本も集中させて、これまで以上に組織としての持続力や競争力を向上させることだ。「やめてしまう事業」は他社に売却できるものは売却すればよい。人口減少社会においては、「拡大」とか

「分散」とかいう発想は危うい。「集中」や「特化」が〝生き残りワード〟である。

日本社会全体の縮小は避けられないが、その点、先んじて戦略的に縮み、太刀打ちできる体制を整えておけば一緒に沈まずに済む。日本の産業は幅広い。中には外国に任せざるを得ない分野が出てくるかもしれないが、人口減少社会を招いてしまった以上は仕方がないだろう。小粒ながらキラリと輝く国を目指すことだ。

戦略的に縮むことで人材を伸びる分野にシフトさせていけば、経済成長につなげやすくなる。繰り返すが、少子高齢化や人口減少が進む状況において最も必要とされるのは経済成長である。経済成長さえ続けられたならば、社会保障費の不足をはじめ人口減少がもたらす弊害のかなりの部分が解消する。

そうした意味では、「戦略的に縮む」ことで伸びる分野をいかにたくさん作れるかが、今後の日本の行く末を左右すると言ってよい。「戦略的に縮む」ことなく、見当違いな経営を続けて企業が満遍なく衰退していったならば、日本そのものが傾いていく。

ステップ3

製品・サービスの付加価値を高める

「薄利多売」から「厚利少売」へのシフト

「戦略的に縮む」という経営モデルにシフトしたならば、次は「残す」ことにした事業がこれまで以上に成果を出せるようにしなければならない。

そこで求められるのが、製品やサービスの高付加価値化だ。これは「戦略的に縮む」という成長モデルを成功させるための1つ目の大きな柱である。

マーケットが縮小する以上、GDPや売上高が減るのは仕方ない。それをカバーするには、製品やサービス1つあたりの収益性を高めることだ。「薄利多売」から「厚利少売」（販売する商品数を少なく抑える分、利益率を大きくして利益を増やすビジネスモデル）へのシフトである。現状においても、販売数を拡大して売上高を伸ばしたところで、利益が増えなければ意味がない。

もちろん「厚利多売」が理想である。一気に人口が減るわけではないので当分、厚利多売を続けられる大企業などは残るだろう。だが、それも時間の問題だ。企業規模の大きさにかかわらず厚利少売で成り立つビジネスモデルを手に入れざるを得なくなる。

厚利少売は、高くても消費者が買いたくなる商品やサービスを生み出すことが必須である。スマートフォンを考えてみればよい。決して安い買い物ではないが、その利便性が受け入れられ今では多くの人が所有するようになった。消費者は「不可欠だ」と判断すれば、高くても購入する。

米国の自動車会社テスラ1台あたりの利益は他社を圧倒している。為替レートもあるので単純に比較できないが、2022年7~9月期決算を見ると、販売台数はトヨタ自動車の8分の1ほどなのに純利益はほぼ同じだ。フォルクスワーゲングループの資料によれば2021年のアウディの販売台数は168万5112台で営業利益は55億ユーロである。これに対してポルシェは30万1915台で53億ユーロだ。ポルシェ1台でアウディ5・4台売ったのと同じ計算だ。

ヨーロッパには洋服や化粧品、カバンといったブランド品を製造する企業が多いがこれらも「厚利少売」の好例だ。企業規模をいたずらに拡大するのではなく、自分たちの生産能力の中で「こだわりの品」を作りあげ、利益率の高い商品として維持、提供し続けているのである。

「よりよいものを、より安く」の限界

日本企業には「よりよいものを、より安く」という価値観をもった企業が多い。クオリティーの高いものを割安な価格で提供することで世界を席巻し、技術大国としての地位を築いてきた。先進国の中で日本の人件費が低かった時代にはそれがうまく機能していた。だが、最新コンピュータによって制御された工場が新興国に建ち並ぶようになった時点で、このようなビジネスモデルは続けられなくなった。

ところが、日本企業の多くは人件費を削ってまでこだわり続けた。それがゆえに、新規学卒者を非正規雇用にするといった〝禁断の手段〟に手を染め、さらには正規雇用の若い世代の賃金までを抑制してきた。結果として低収入で結婚や出産を諦めざるを得ない若者を大量に生み出したのである。低所得の若者の増加は住宅や自動車の需要を奪い、消費を冷え込ませた。さらに内需型の業種まで負のスパイラルに巻き込んでいったのである。これでは少子化が進んだのも当然の帰結だ。自ら率先して国内マーケットを縮小させたようなものである。

「よりよいものを、より安く」といった経営方針だけでなく、最近は高齢者の増加が

薄利多売のビジネスモデルを勢いづかせている。現役時代に比べると収入が少ない高齢者が国内マーケットの3割を占めるようになり、「値段を高くしたら売れない」という小売業や飲食業は少なくない。

とはいえ、国内マーケットの縮小が止まらない以上、数量を稼がないと利益が上がらないというビジネスは続かない。「よりよいものを、より安く」という美徳は素晴らしいが、人口減少社会には合わないのである。消費者も含めて「よりよいものは、それ相応の価格で」と意識を変えていかなければならない。

重要なのは「マーケットとの対話」

企業の幹部からは「生活必需品を扱っているので、高付加価値化といっても無理がある。人々の暮らしを安定させるのが我が社の使命だ」と言われることが少なくない。これはもっともな話だ。毎日使うようなものが高騰してしまったら困る人が増える。だが、こうした製品を扱う企業にも、国内マーケット縮小の波は容赦なく訪れる。

高付加価値化しづらい製品を扱っている企業の場合には、厚利少売でしっかり利益を確保できる部門を1つはつくり、薄利多売の製品とセットで利益を考えることである。どんなにマーケットが縮小しようとも、低価格で消費者に商品を届けるという企業が使命を果たし続けるためにはハイブリッド型でいくしかない。１つの会社では無理ならば、厚利少売の他企業と統合や連携を考えることだ。

厚利少売へのシフトには、マーケットとの対話が非常に重要となる。単に値段を上げたのでは客から見向きもされなくなるだろう。

日本人は長く外国人が少ない同質的な社会を築いてきたため、〝阿吽《あうん》の呼吸〟で分かりあえるといった特異なコミュニケーション空間も作り上げた。そうした波風の少ないマーケットにおいては、作り手や提供者が良いと思って送り出したモノやサービスは、消費者にとっても買いたいモノ、利用したいサービスであることが多かった。

だが、高付加価値化を図るには顧客ニーズに徹底的に応えていく必要がある。顧客ターゲットを明確にし、商品やサービスの企画段階から市場のニーズを汲み上げていくことだ。技術力に自信のある日本企業の場合、オーバースペックとなりやすい。ヨーロッパのブランド企業には、顧客が好む色や大きさ、手触りなどを聞き取るためにメインユーザーと対話をしながら新商品開発にあたっているところもある。こうしたマーケティングの基本に、日本企業は立ち返ることである。

ステップ4

無形資産投資でブランド力を高める

日本企業と欧米企業の利益率の決定的な差

マーケットが縮小し続ける人口減少社会に対応するには「厚利少売」というビジネスモデルへの転換が必要だが、どう実現すればいいのだろうか。

製品やサービスを高価格で設定するには「ブランド力」がモノを言う。中小企業庁の「中小企業白書・小規模企業白書」（2022年版）は、ブランドの構築・維持に取り組んでいる企業の55・9％に取引価格への寄与があったと考えている調査結果を紹介している。築き上げたブランドというのは消費者と企業を強く結ぶツールであり、「価格決定力」を持てるということだ。

それは、マーケットの価格競争からの脱出を可能ともする。近年は外注生産や販売網の多角化で、コストや販売チャンネルの優位性よりも、技術力やブランド力がより重要になってきている。ブランド力は人口減少に打ち克つための大きな武器なのである。そして、ブランド力をより強化していくためには知的財産を活用したビジネスの積極展開が求められる。

知的財産の積極展開と言えば、「オープン＆クローズ戦略」もある。これはかなり画期的な技術の開発に成功した場合の手法とも言えるが、そんな画期的な技術を完全クローズしたのでは自社だけで市場を作らざるを得ない。そこで、一部を公開して他社に市場への参入を促すのだ。一方、製品の核心たる重要な技術に絞って秘匿するのである。市場を拡大させることでイノベーションを起こりやすくし、自社の優位性をさらに高めて利益を向上させようというのだ。こうしたやり方も価格決定力を持ちやすい。このように、知的財産権というのは有効に使いさえすれば、人口減少に苦しむ日本企業の〝頼もしい援軍〟になり得る。

製造コストの何倍の価格で販売できているかを示す「マークアップ率」（付加利益率）という指標があるが、日本企業はこれが総じて低い。経産省の資料が２０１６年時点の各国比較をしているが、デンマークの２・８４倍、スイスの２・７２倍、イタリアの２・４６倍などに対し、日本は１・３３倍に過ぎない。米国（１・７８倍）、中国（１・４１倍）の後塵を拝し、Ｇ７の中で最下位である。米国やヨーロッパ各国が２０１０年以降に急上昇させたのに対し、日本は低水準で推移してきた。

日本企業と欧米企業の利益率に開きが生じているのには理由がある。欧米の優良企業は経営戦略において知的財産などへの投資などによって競争の優位性を確立し、製品価値を引き上げてきたのだ。

「強み」の統合・再編も視野に

これに対し、これまで多くの日本企業は、高度な技術開発やコストダウンの徹底で利益を確保しようとしてきた。だが、日本企業が得意とする機械や装置といったハード技術は陳腐化しやすく、結構早く流動化する。コストカットもそうそう効果を上げられるわけではない。とりわけ、国内マーケットが縮小する中ではこうしたやり方では利益を得にくく、価格決定権を握ることは難しい。

他方、マーケットの縮小で数量を稼げなくなる以上、製品やサービスの価格を安易に下げることは自ら首を絞めるようなものだ。先述したように、人口減少社会で企業が生き延びていくためには「よりよいものは、それ相応の価格で」という消費行動を定着させていかなければならない。そのためにも、技術力の高さをブランドとして明確化させることで高い利益率を追求し、それによって企業価値そのものを高めることが必要なのである。

ブランドと聞くと「商標」をイメージする人もいるだろうが、商標はブランドの1つの要素に過ぎない。ブランドとは、企業や商品の特徴や性質を示す総体のことである。消費者からすれば、そのブランドを選択すれば、自分が求める「特定の価値」を必ず獲得できるということだ。ブランド力が強くなればなるほど消費者への影響力が増し、価値観や嗜好に影響を与えることだって不可能ではない。

ブランドは人口減少に打ち克つための大きな武器だと先述したが、そうである以上、強化だけでなく、知的財産権でしっかり保護することも一層重要となる。ブランドと知的財産権はセットなのである。

日本企業には知的財産に疎いところがあるが、今後海外に活路を見出さざるを得なくなるからにはそうは言っていられなくなる。知的財産に対する理解を深めなければ、ブランドを確立させている技術力を侵害され、ブランドそのものを失うことになりかねないからだ。

かつて世界に躍進した日本メーカーは開発から生産、販売までを1つの企業ですべて行う「垂直統合型ビジネスモデル」が多かった。高い機密性を維持できるメリットがあり、ブランド力をつける特許技術などが奪われることなど心配をしなくてもよかった。このモデルは日本の「ものづくり」を世界最高水準に押し上げる要素の一つとなっていたが、一方で知的財産への意識を鈍感にさせてきた。

しかしながら、人口減少社会においては、スペシャリストを育てている余裕はなく、外部から獲得せざるを得なくなる。このため、製品の核となる部分の開発、製造、販売のみ自社で行い、それ以外は外部委託する「水平分業型」へとシフトする企業が増えていくことが予想される。海外マーケットに本格的に進出するようになれば、「水平分業」の提携先が海外企業となるケースも増えよう。企業連携において知的財産権を交渉カードとして活かすためには、知的財産権への理解を深めることがどうしても不可欠になってくるのだ。

「水平分業」に限らず、経済のグローバル化が進むにつれて企業同士の連携も増える。当然ながら、連携相手は日本企業とは限らず、デジタル貿易も増大していく。その際、相手企業に1つでも必須特許があれば、それぞれが所有する知的財産権の使用をお互いに許諾し合うクロスライセンス契約を求められる可能性が大きくなる。ここでも知的財産権への理解がカギを握る。日本は2000年代に、半導体や液晶に関する知的財産が大量に海外流出したという手痛い体験をしている。

人口減少社会においては、ブランドの構築を含めた知的財産戦略がいかに重要であるかということをお分かりいただけたと思うが、企業経営者の中には、「ブランド力を高めると言われても……」という人も多いだろう。そうした企業はあまり難しく考えず、まずは自らの組織を再点検することだ。自社のどのような知的財産が競争力や差別化の源泉となり得るのかを明確にすることから始めればよい。

そうして見出した「強み」が将来どのような価値創造やキャッシュフローの創出につながっていくのか、その可能性を分析し、説得力あるロジックとして組み立てて投資家や金融機関に説明することである。

先述したように、勤労世代が減る人口減少社会においては「水平分業」が増えざるを得ない。持ち得る「強み」を一社だけでは発展につなげられないと考えるのであれば、他社との連携で相乗効果を狙うことだ。医療とは無関係だった中小企業が独自の技術を買われ、「医工連携」によって先端的な医療器材の生産に携わるメーカーに生まれ変わったという事例もある。他方、「連携も難しい」と考えるならば、思い切ってM&A（企業の吸収・合併）で事業部門ごと売却するのも選択肢である。「強み」をアピールすることで企業価値を高められたならば、売却交渉を有利に進められるだろう。

経産省の資料によれば、企業を成長させるための方法について、日本企業の64％は「自社内での研究開発」と回答しているが、外国企業は「他社との戦略的提携」や「他社のＭ＆Ａ」を通じた成長も選択肢にしており、日本企業の思考の偏りが鮮明となっている。

日本の場合、経営者が高齢化して事業承継が難しくなっている企業も増えてきている。そうした企業の「強み」を活かせずに解散・廃業してしまうことは、日本経済全体にとっての大きな損失だ。買収した企業が、買い取った企業が持っていたさまざまな「強み」を統合、あるいは掛け合わせることで新たな相乗効果を生んだり、さらに企業価値を高めることも期待できる。決断するなら早い方がいい。

企業の合従連衡《がっしょうれんこう》というのは、人口減少社会おいては結構重要な能力だ。国内マーケットが縮んでも成長を図っていくには、雇用の流動化と合わせてＭ＆Ａなどによる企業の流動化も促進させることだ。そうすることで、海外マーケットでも堂々と戦える企業を１つでも２つでも多くつくるべきなのである。柔軟さに欠けていたのでは、人口減少に打ち克つことはできない。

無形資産投資へと転換すべき理由

繰り返すが、ブランド力を磨き、企業価値を高めるには、将来の競争優位性や差別化の維持に効果のある知的財産を十二分に活用する必要がある。それには、顧客ネットワークや研究開発による自社創造性のレベルアップ、外部からのノウハウの取り込みなどへの投資を積極的に行うことだ。「ものづくり」を得意とする日本企業の多くはこれまでハード技術を向上させるための有形資産投資に積極姿勢を示してきたが、無形資産投資へと転換すべきときである。

「有形資産」「無形資産」と聞いてもピンとこないという人も多いかもしれないが、有形資産とは機械設備や工場などの構築物といった実物的な生産設備のことである。これに対して、無形資産（知的資産）はブランド、人材や技術・ノウハウ、研究開発など目に見えない資産を指す。特許権、商標権、意匠権、著作権といった知的財産権だけでなく、データ、顧客ネットワーク、信頼力、サプライチェーンなども含まれる。さらに広くとらえるならば、これらを生み出す組織力やプロセスなども対象となる。こうした各企業の固有の無形資産を有効に組み合わせることで収益につなげる経営モデルを「知的資産経営」と呼ぶ。

「中小企業白書・小規模企業白書」（2022年版）の概要によれば、無形資産投資のほうが全要素生産性（資本投入や労働投入では説明できない経済成長を生み出す要素）の上昇率が大きい。有形資産投資と比べて生産性向上に大きく寄与しているということだ。イノベーションをもたらすなどの経済的特性も指摘されており、付加価値の向上を促す手段の一つとしても注目を集めている。

日本企業と欧米企業の利益率の開きについては先に簡単に触れたが、もう少し詳述するならば、米国は1990年代において無形資産投資が有形資産投資を逆転して企業価値を高めてきたのに対し、日本は2000年代以降も有形資産投資のほうが上回り、いまだ重視する傾向は変わらない。

有形資産投資は、「ものづくり日本」にとってポピュラーな投資方法であるためだ。機械を高度化させて製品の完成度を向上させることに心血を注いできた日本は、先進諸国の中でも革新的資産投資の割合が非常に高い国とされる。

いま求められる「企業価値創造」の視点

だが、有形資産投資で付加価値を創造することには限界がある。製造によって得られる付加価値は完成した製品の価値と投入したコストとの差で計られるが、これは新興国のように為替レートが低く、労働コストが低い国が圧倒的に有利だ。

米国は有形資産投資による付加価値創造に頼っていたのでは、為替レートや労働コストが自国より低い新興国に勝てないと考えて、無形資産投資による付加価値創造路線へとシフトしたのである。米国などがデジタル基盤の整備に力を入れる中で、日本は開発途上国より技術力で上回る「ものづくり」へとのめり込んでいった。「高品質のモノを作れば売れるはずだ」という信仰に近い思いだが、1990年代以降に急成長したのは新興国のマーケットであった。そこでは、消費者の所得は高くなく、「クオリティーの割には安い」という日本製品はオーバースペックとなったのである。熱帯の国にハイテクのセンサーで温度調節をするクーラーはいらなかったということだ。一部の勝ち組企業もあったが、マーケットを取り込み切れず、新興国型のビジネスモデルからの脱却のチャンスも逃した。この結果、日本は現在に続く経済的衰退と国民の低賃金化を招くこととなった。

同じ時期、米国はデジタル技術に「情報の非対称性」をつくり出し、ＧＡＦＡに代表されるデジタルプラットフォームやデータビジネスを成功させたわけで、１９９０年代半ばにおける日米経営者の判断の差はあまりに大きい。

この間に、世界の人々が望むものは高度な技術そのものではなくなったと言ってよい。１つの製品の性能がどんどん上がっていくことよりも、高度な技術によってこれまで無かった利便性や楽しさがもたらされることに注目が集まるようになったのである。工場を建設し、最新鋭の機械を導入して製品自体の性能や品質を向上させるだけでは、高付加価値化の実現は難しい。

無形資産による集約的産業は生産性が高いとの研究結果もあり、経済成長の中心は有形資産から無形資産に移りつつある。知的財産に代表される無形資産は、製品やサービスの差別化をもたらし、価格決定力を維持・強化させる。あるいは破壊的イノベーションを起こすことにもなる。国内マーケットの縮小に立ち向かうためにブランド力の強化を迫られる日本企業にとっては、なおさら無形資産への投資が急がれる。

一方、市場の縮小に対応するには、ブランド力の強化とともに資本の効率性を高めることも重要だ。利益を上げるのに、元手をいくら投じたのかが即座に分からないといったケースが少なくないが、「厚利少売」を追求していくにはこうした点への意識をしっかり持つことである。

最近、「ＲＯＩＣ」（Return On Invested Capital）という指標が注目されるようになってきている。株主からの出資（株主資本）や金融機関からの借入（有利子負債）による資金調達に対して、どれだけ効率的に利益を上げることができたかを測定するのに便利な指標だ。集めた金額が少ないのに、多くの利益を上げられれば数値は高くなる。すなわち、ＲＯＩＣとは事業に投下した資金からどれだけの利益（リターン）を生み出したかを示している。

勤労世代が減り、戦略的に縮んでいくべき時代にあっては経営資源を集中させていかなければならない。これまでの多くの日本企業に見られるような、経営の結果として企業価値が創造されるという考え方ではなく、企業価値を創造するためにどういった経営をすべきかという「企業価値創造」の視点が求められる。

ステップ5

1人あたりの労働生産性を向上させる

山積する「ブルシット・ジョブ」を減らす

「戦略的に縮む」という成長モデルを成功させるためには、従業員1人あたりの労働生産性の向上も必要となる。これは製品・サービスの高付加価値化と並ぶ、「戦略的に縮む」ためのもう一つの大きな柱である。

何度も繰り返しているように少子化で勤労世代は減っていく。コロナ禍で出生数の急落が明確になったこともあり、その減り方は政府の当初の予測を上回ることになりそうである。2020年の20〜64歳人口は6882万9000人だったが、コロナ禍の出生数減を織り込んで社人研の低位推計を確認すると、2040年は5511万3000人だ。単純に平均すれば毎年70万人少なくなっていく。2050年は4715万2000人なので、減少ペースはさらに加速する。

1日に1人が働くことのできる時間は8時間+アルファだ。勤労世代の減少を日本全体で考えると、各人が働く時間の総和が縮小するということである。これを補うとすれば一人一人が働いている時間の使い方を濃密にして、利益を生み出すために効果的に使うしかない。

文化人類学者のデヴィッド・グレーバー氏が提唱した「ブルシット・ジョブ」（クソどうでもいい仕事）という言葉があるが、日本企業には慣例的に続いているそうした仕事や事務手続きが山のように存在する。まずは、こうしたことに貴重な時間をとられないようにすることだ。コロナ禍でテレワークはかなり定着したが、通勤や出張も実に非効率な時間の使い方である。職種によってはテレワークに向かない仕事もあるが、通勤や出張は人口減少社会では極力減らすことだ。

1万人程度の大企業ならば無駄な会議を省くだけで、年間十数億円の人件費が浮くのに匹敵するとの試算もある。コスト面もだが、人口減少社会では人手が足りないのだから、「ブルシット・ジョブ」に人を割いている余裕がない。長時間に及ぶ会議や全員集まっての朝礼といった労働習慣も真っ先にやめたほうがいい。

DXで縦割り組織を刷新

人口減少に悩む日本を慮《おもんぱか》って技術革新が図られたわけではないが、ちょうどタイミングよくＤＸが日本社会にも普及、定着し始めた。これは１人あたりの労働生産性を向上させる大きなチャンスとなり得る。

ＤＸは企業の「縦組織」を崩壊させるにももってこいだからだ。デジタル技術を活用すれば、経営者は自分の考えや組織の方針をベテランから新入社員に至るまでリアルタイムに伝達できる。もはや、指示を伝達するためだけの中間管理職は要らなくなるし、会議や打ち合わせを長々とする必要もなくなる。これまでは１日に何回もの会議に出席し、それだけで仕事をした気になっていた人も少なくなかっただろうが、会議へ参加することが組織に利益をもたらすわけではない。

ＤＸは本来、データを活用した新たな価値の創造を期待されているが、「戦略的に縮む」ことを求められている日本企業としては、これを組織のスリム化の道具として使わない手はない。

大きく足りない外国人労働者

勤労世代の減少対策では、「外国人労働者を活用すればいいのでは」との意見も多い。経済団体の声に押されて、政府も受け入れ拡大に向けて制度改革を進めてきた。

だが、経済界が期待するほど増えていないのが現実だ。

国際協力機構（JICA）の研究機関「緒方貞子平和開発研究所」と日本政策投資銀行グループの価値総合研究所が、経済成長のために今後必要となる外国人労働者数を推計した報告書をまとめた。

設備投資の見通しや厚労省の年金財政検証を基に今後の経済成長率を1・24％と仮定し、2040年のGDPが2015年比36％増の704兆円に達するという前提だ。また、日本の労働力は労働政策研究・研修機構の推計から、女性や高齢者などの労働参加が進んだとしても2040年には2015年より778万人も少ない5853万人になるとし、こうした予測を踏まえて目標となるGDPを実現するのに必要となる外国人労働者数を計算したのだ。

結論としては、設備投資によって業務の効率化が進んだとしても、2030年時点で419万人、2040年には674万人の外国人が必要となるが、実際には2030年の外国人労働者は356万人、2040年は632万人しか来日せず、それぞれ63万人と42万人不足するとしている。

厚労省によれば2021年10月末現在の外国人労働者は173万人弱でしかない。

このうち日本で技能や技術を身に付けることを目的とした「技能実習」が約35万2000人、留学生によるアルバイトなどの「資格外活動」が約33万5000人を占めている。いずれも数年で帰国することを前提とした働き方だ。そもそも7年後の2030年の不足数を63万人としていることに現実味がない。

外国人労働者は日本をどう見ているか

外国人労働者が日本を選ばなくなってきているのだ。その背景には日本経済の長期低迷がある。大きな要因の1つは、日本以外にも外国人労働者を必要とする国が増えていることだ。中国や韓国などでも少子高齢化が進んできている。JICAなどの推計には、こうした国々における外国人労働者の需要増の影響が加味されておらず、日本より経済成長率が高い国での需要が増えれば、2040年時点の不足人数は42万人より大きな数字となるだろう。

要因の2つ目は、外国人労働者が、長く賃金が抑制されてきた日本に見切りをつけつつある点だ。理由としてはこちらのほうが深刻である。

JICAなどの報告書は、日本への送り出し国について、タイやインドネシア、中国などは減少していくと予想している。一方、ベトナムは2030年まで、ミャンマー、カンボジアは2030年以降も大きく増加すると予測している。新興国の場合、経済が一定の規模に成長するまでは海外に働きに出る人が多いためだが、日本に労働者を送り出して来た国の経済成長は目覚ましい。2030年以降も来日者が増えると予想されている国々の経済成長が予測より早く、母国での賃金水準も上昇したならば国内にとどまる人はもっと増える。

外国で働くにしても、少しでも高い給与を得られる国を選ぶのが自然の流れだ。ベトナムなどからの労働者が増えるとの見通しは、日本の思惑通りに進むとは限らない。経産省も同様の懸念をしている。同省の資料によれば、2020年末時点の技能実習生の出身国は、ベトナム（55・2％）、インドネシア（9・1％）、フィリピン（8・4％）で約7割を占める。これら3ヵ国の1人あたりのGDPは現在約3300〜3900ドルで日本の10分の1ほどだが、日本との差が縮むにつれて技能実習生として来日する人は減少するとの分析である。

賃金が伸び悩む日本は魅力を失うと見ているのである。「安い日本」は国民生活を疲弊させるだけでなく、外国人労働者をめぐる争奪戦の敗北としてもツケが回ってくるということである。

これに対し、日本政府は外国人労働者が長期間働ける在留資格や職種を拡大すべく検討しているが、「日本離れ」の原因は滞在期間の長さにあるわけではない。こうした対策はあまり意味をなさないだろう。

外国人労働者の長期滞在については「実質的な移民」につながるとの反対意見が多く、世論は二分している。仮に、大規模に受け入れられる状況になっても、社会の混乱を避けるべく時間をかけて増やす必要がある。だが、そうしている間も日本の勤労世代の激減は続くので、人手不足対策としてはペースが合わず、とても間に合わない。

外国人労働者の受け入れ拡大どころか、日本人の安い人件費と丁寧な仕事ぶりを求めて中国企業が日本国内に工場を建設し、日本人を雇用する動きも見られるようになった。定年退職した高齢者や主婦パートのよい働き口になっているのだという。

外国人労働者の来日に過度に期待し、人手として当て込むことはかなり危険だ。もはや勤労世代が減ることを前提として企業活動を機能させていく術《すべ》を考えなければならないのである。勤労世代の減少規模を考えると、従業員1人あたりの労働生産性の向上を図るほうが賢明である。

ステップ6

全従業員のスキルアップを図る

日本全体が「スキル不足」だった

人口が安定的に増え続け、年功序列や終身雇用に守られていた「安泰の時代」においては、一部の人材や専門部署を除き、一般従業員がスキルを磨き続けることを求められる場面は少なかった。むしろ協調性といったチームワークや人脈、人間関係を築く能力が重要視されてきた。その結果、日本全体がそれぞれの分野で「スキル不足」に陥ってきた。だが、人口減少という〝黒船〟が到来した今、働く全員のスキルアップを図って〝稼ぐ力〟を底上げしていかなければ勤労世代の目減りをカバーできない。企業の競争力は保てず、日本経済も浮上しない。

問題となるのは従業員1人あたりの労働生産性を向上させるための方策だ。一人一人が好き勝手に技量を身に付けていたのではうまくいかない。当然ながら、各従業員は企業の方針に従い、必要とされる能力の開発をしなければ意味をなさない。

これまで多くの日本企業では採用は人事部門が担当し、採用基準は必ずしも経営戦略を反映したものではなかった。それ以前に経営戦略が明確ではない企業が少なくなかった。

経営戦略と人事戦略の連動

だが、国内マーケットが永続的に縮小するという未曽有の経営環境の変化が訪れつつある。今後は経営戦略と人事戦略をきちんと連動させ、必要とする人材をどう確保するのかを考えることが求められる。

そのためには、まず企業のトップが目指す方向性を経営戦略として示し、その実現のためにどういう能力を求めているのかを全従業員に明確にする必要がある。同時に、経営戦略を実現させるための人事戦略を描くことである。プロ野球球団の編成担当をイメージすれば分かりやすい。チームを俯瞰し、どのポジションが手薄になってきているのか、年齢やけがの状態など所属選手の引退時期も予想しながら補強のポイントを定めて、スカウト活動を進めたり、ドラフトやトレードなどを実施したりする。

それと同じで、経営戦略を実現させるためには、人材を質・量の両面で充足し、最適化させることが求められる。これまでは現時点で抱えている人材やスキルをベースに「現有勢力の範囲内で可能なこと」を考える企業が多かった。だが、マーケットが縮小する時代では経営戦略の実現や新たなビジネスモデルへの対応といった将来的な目標からバックキャストする形で必要となる人材の要件を定義し、それを満たす人材を獲得、もしくは育成する形へと変える必要があるということだ。

経営トップが立てた経営戦略の内容を末端従業員に至るまで徹底すると、従業員は各自が「自分が何をすべきか」を理解し、それぞれの目標を明確にできる。その上で経営戦略に基づいて求める能力を個別具体的に指示し、学び直しをしてもらうのである。

「必要となる人材」の確保に関しては中途採用で即戦力をスカウトすることもあるだろうが、これは計画通りにいくかどうかは分からない。それよりも、多くの企業は既存従業員のスキルアップで対応することになると見られる。「戦略的に縮む」過程において不要部門をリストラしたことで生じた余剰人材を、「残す」と決めた部門にシフトし、戦力として活用すべくリスキリングすることが喫緊の課題となる。

必要な人材が獲得できた後も、「重要業績評価指標」（ＫＰＩ＝Key Performance Indicator）を用いて課題ごとに現状評価を行い、組織が掲げた経営戦略との齟齬《そご》が生じていないか定期的にチェックすることだ。齟齬が生じていたならば人事戦略を見直し、経営戦略の実行に向けて態勢を立て直す。人材はコストではなく、新たな利益を生む「資本」として捉えるのである。

昨今、「エンゲージメント経営」（企業と従業員による双方の信頼関係を高める経営）の必要性が重んじられるようになり導入企業も増えてきたが、経営戦略と人事戦略を連動させると必然的に所属する組織への愛着もわくだろう。愛着がわけば、モチベーションにつながり、従業員の業務パフォーマンスを最大限に引き出すこともできよう。結果として、製品やサービスの付加価値アップを実現しやすくなる。

ステップ7

年功序列の人事制度をやめる

人事制度そのものを一変させよ

従業員の向上心を引き出すためには、成果と能力をきちんと評価することもポイントとなる。それには、人事制度そのものを見直し、年功序列をやめることである。

序章でも簡単に触れたが、そもそも年功序列や終身雇用という日本特有の労働慣行は人口減少社会では成り立たない。年功序列は定年などで退職する従業員数と同規模か上回る規模の新入の従業員がいてこそ可能だが、若年人口ほど減っていくので今後はこうした世代循環はスムーズにいかなくなる。

中途採用を含めた新規採用者で退職者数を穴埋めできなければ、組織の規模は徐々に縮小していく。その時点で「戦略的に縮む」方向へと経営モデルを切り替えればいいのだが、多くの企業は目の前の人手不足に対処すべく定年延長や再雇用による辻褄《つじつま》合わせに走る。これでは、会社内で若い社員ほど少ない「少子高齢化」状況を企業内に作り出しているようなものだ。

しかも、日本では家族的な組織文化を大切に守っている企業も多い。定年延長になった60代前半の従業員のポストをそのままにしたり、再雇用者の賃金を大胆に抑制することを憚《はばか》ったりする雰囲気が残っている。

こうした取り組みは年配者のモチベーション維持には一定の効果を上げるが、一方で20代～30代の若い従業員の閉塞感を高める。これまで以上にポスト待ちが長くなり、なかなか昇進できなくなるためだ。どの企業も総人件費を簡単には増やせないので、年功序列と定年延長がセットとなると必然的にすべての年代も賃金を抑え込まなければならなくなる。これでは若い従業員の意欲は減退する一方だ。生産性向上が望めなくなるどころか、転職者が増えるだろう。

年功序列・終身雇用の終焉

そうでなくとも、国内マーケットの縮小は産業の再編を促す。激変の時代というのは新たなニーズが生まれやすく、企業同士の合併や連携の動きが強まりやすいからだ。企業は戦略的に縮みながら成長分野へとシフトさせていかざるを得なくなるので、若者のみならず中高年にも雇用流動化が起きて終身雇用は終わりを迎える。

入社年次をことさら重視する年功序列は、勤続年数や年齢が高くなればなるほどスキルやノウハウ、経験が蓄積されることを前提としているが、そうした〝常識〟は崩壊する。従業員1人あたりの労働生産性を向上させるために個々のスキルアップが求められるようになるのだから、当然の帰結だ。

スキルはこれまでのように長年の職場での経験によって身に付くものではなく、企業側の求めに応じたリスキリングによって身に付けるものへと変わるのだ。もはや年功序列は通用せず、企業が求めるスキルが高い従業員ほど昇進しやすく、担う「役割」に応じて報酬も高くなるようにするしかない。結果として、終身雇用も終わる。

逆に考えれば、重要ポストへの就任や多額の報酬を得たい人はスキルアップを図ればいいということである。それが社会全体に広がってくれば、年齢に関係なく能力を高め、あるいは身に付けた能力が衰えたり、陳腐化しないように努力し続けたりする人を増やすこととなる。それは1人あたりの労働生産性の向上を促し、日本経済全体の底上げにつながっていく。みずほフィナンシャルグループは2024年度から年功序列型の人事・給与体系を実質的に廃止することを発表したが、メガバンクの影響は大きい。追随する企業が増えそうだ。

終身雇用が終わりを告げると無くなるものがある。それは退職金だ。浮いた人件費を、スキルの高い新人の契約金や支度金として支払う企業が増えるだろう。それは「ジョブ型雇用」につながっていく。「ジョブ型雇用」はその効果の是非をめぐって賛否が分かれているが、1人あたりの生産性向上へと結びつけていかなければならない。年功序列がなくなっていくにしたがい、日本流にアレンジしながら成果主義人事制度の導入が広がっていくことになるだろう。

勤労世代が減るということは、従業員一人一人に求められる責任が重くなるということでもある。働く全員が戦力となることを目指し、それぞれの能力に応じて経営戦略に基づくミッションを着実に達成していくしか、日本経済を成長させる策はない。会社に通勤することが仕事であるかのように勘違いしている人や、一部の人の頑張りに頼って、あまり仕事をしない職場のムードメーカーのような人を許容する牧歌的な組織文化を残したままでは人口減少社会に対応できない。

明治維新の際、刀を取り上げられた武士の中には文明開化についていけない人が多かった。いち早く新しい時代に適応すべく努力するのか、丁髷《ちょんまげ》を結ったまま暮らし続けようとするかは、あなた次第である。

ステップ8

若者を分散させないようにする

マンネリズムが組織を支配

人口減少社会においては「分散」は〝禁止ワード〟だが、とりわけ数が少なくなる若者をバラバラにしてはならない。少子化が進み新規学卒者は年々減っていく。ただでさえ少ないのに、それぞれが選んだ仕事に就くとなるとさらに散り散りになってしまう。多少まとまった人数の新規学卒者が就職する企業であっても同じだ。配属先は分かれるのでやはり散り散りとなる。

定年延長や再雇用で年配の従業員が多くなった企業に、1人や2人の若者が入ったところで組織を活性化させる新風とはなり得ない。企業によっては新規学卒者が毎年入ってこないというところも出てくるだろう。新規採用は中途採用者ばかりという企業はすでに少なくない。中途採用者でも多少なりとも新風が吹き込むだろうが、多くの新規学卒者が毎年入社していた頃に比べたら微風だ。

こうして年配者中心の職場で新陳代謝が起こりにくくなると、組織はマンネリズムに支配され、過去の成功モデルに固執する保守的な思考が強まっていく。そうした雰囲気の職場になってしまうと、数少ない若者は若さゆえの遠慮もあって、余計に口をつぐむようになる。それどころか、中高年従業員のやり方にあっという間に取り込まれてしまう。

そうでなくとも、恒常的な人手不足が続くため、新人であっても即座に成果を求められるようになる。こうなると、成果が上がるかどうかやってみなければ分からない新たな挑戦を封印し、とりあえずは無難に成果を当て込める先輩たちのやり方を真似ることとなる。こうやって過去の成功モデルが温存されることとなっていく。それでは「若者の良さ」を活かせない。

イノベーションがまったく起こらなくなる

若者を分散させる弊害はマンネリズムの支配にとどまらない。もっと深刻なのは、イノベーションを起こす力が弱っていくことである。イノベーションというのは、往々にして何度も失敗が許される若者の無鉄砲さから生まれてくる。度重なる挑戦と失敗の上に築かれるものだが、機会が乏しくなったのでは若者の心に火が付かない。

こうしたチャレンジマインドを引き出すには若者同士で楽しみながら競い合う環境が不可欠なのである。イノベーションの衰退は製品の開発への影響にとどまらない。エンタメやファッションといった文化の創造やブーム・流行を巻き起こし、発信する力の弱体化にもつながっていく。日本で成長分野がなかなか誕生しないことと少子高齢化とは無関係ではない。若者を分散させることは、日本の自殺行為に他ならない。

出生数が多かった時代はどの分野も人材の裾野が広かった。切磋琢磨できる環境がいくらでもあったので、放っておいてもライバルができた。しかしながら、今後はそうした競争環境を中高年が意図して用意していかなければならない。

若者の絶対数が減ることは如何《いかん》ともしがたいので、代替策として行うべきは他流試合だ。いくつもの企業が連携して、若い従業員が参加するビジネス交流会や研修会を開催するのもよいだろう。テレワークやフリーアドレス制を採用する企業も増えてきている。曜日を決めて複数の会社の若手が同じビルで働くという試みでもよい。副業として若い世代が経営するスタートアップ事業を手伝うのも選択肢となろう。どういう形であれ、若い世代が交流する機会を増やすことである。若い世代同士が交流する中から新たな発想が生まれ、ビジネスチャンスを広げていくのである。

ステップ9

「多極分散」ではなく「多極集中」で商圏を維持する

国内マーケットの「トリプルの縮小」

分散させてはならないのは企業内の若者だけではない。消費者も同じだ。

過疎地が広がり続ける人口減少社会の国土の在り方について、集住を進めるのか、分散して住む現状を維持するのかで意見が二分している。結論から言えば、「多極分散」ではなく「多極集中」であるべきだ。

人口減少社会において拡散居住が広がると、生活に密着したビジネスなどが極めて非効率になり、労働生産性が著しく低下するからである。

第1部の「小売業界とご当地企業に起きること」の項などでも指摘したように、人々がバラバラに住むことで商圏人口が著しく縮小したならば、企業や店舗は経営が成り立たなくなり、撤退や廃業が進む。民間サービスが届かなくなればさらに人口流出が速まり、ますます企業や店舗の撤退、廃業が加速するという悪循環となる。これを企業経営の観点でとらえると、「コストパフォーマンスが悪すぎて売りたくとも売れない消費者」の増加ということである。ただでさえ国内マーケットが縮小するのに、こうした消費者の〝取りこぼし〟は痛手だ。

問題はそれだけではない。「多極分散」では行政サービスや公的サービスもコストパフォーマンスが悪くなり、国家財政や地方財政が悪化する。やがて増税や社会保険料の引き上げにつながり、国民の可処分所得が低下するのである。国交省の資料によれば、全国の居住地域の51・0％で2050年までに人口が半減し、18・7％では無人となる。社会インフラや行政サービスを維持するには、ある程度の人口密度が必要なのである。

繰り返し述べてきたように、今後は人口減少による国内需要の縮小と、消費者の高齢化に伴う消費量の縮小という「ダブルの縮小」が起きるが、そこに可処分所得の縮小まで加わったならば「トリプルでの国内マーケットの縮小」である。これは企業経営にとって経営困窮へのダメ押しとなるだろう。

企業や行政機関の経営の安定と地域住民の生活水準の向上とは表裏の関係にあるが、人口減少社会においてそれを両立させるにはある程度集住を図って、何とか商圏人口を維持するしかない。「多極集中」に対しては「地方の切り捨てだ」などの批判もある。

むろん「多極分散」が理想であり、人口が増えていた時代ならば意見が二分することもないだろう。だが、縮小していく日本においては「多極分散」は〝命取り〟なのである。

「多極集中」がもたらす未来

第1部で指摘した通り、こうした状況をよそに政府や地方自治体は地方移住のキャンペーンを展開して「多極分散」に邁進している。現時点においては「正しい政策」ということになるのだろうが、人口を拡散させたことで民間事業者の撤退を招き、あるいは企業の経営体力を弱らせて、将来的に「住み続けられる場所」を減らしたのでは本末転倒である。民間事業者の撤退は雇用の消失でもある。

繰り返すが、東京一極集中の是正は喫緊の課題であり移住政策が悪いと言っているのではない。東京圏は食料生産の大半を地方にゆだねており、このまま過密状態が続けば都市機能が破綻しかねない。首都直下型地震も予想されている。それ以前の問題として、あらゆる機能を一極に集中させている現状は国防上の観点からしても脆い。だからと言って移住先がどこでもいいわけではないということだ。

このまま思い思いの地に人々が移住して「多極分散」が進んだならば、「トリプルでの国内マーケットの縮小」は現実味を帯びてくる。

では、「多極集中」を進めていったら展望はどう開けるのか。「多極集中」というのは聞き慣れない言葉だが、具体的には全国各地に「極」となる都市をたくさん作ろうという考え方である。現行の地方自治体のエリアとは関係なく周辺地域の人口を集約して商圏を築き、「極」となる都市の中心街として歩行者中心のコミュニティーと賑わいをつくるイメージである。ドイツなどヨーロッパ諸国には、こうしたイメージとかなり近い形の都市がすでに存在している。

人口規模で言うと周辺自治体も含め10万人程度が想定される。国交省の資料によれば、人口10万人であれば大半の業種が存続可能となるためだ。

この10万人商圏を生活圏とし、中核的な企業や行政機関を中心として雇用を維持しながら、海外マーケットと直接結びつくことで経済的に自立させるのである。

国内マーケットが縮小する中で、企業や行政機関は経営モデルを変更せざるを得ないが、「戦略的に縮む」ことによる成長を達成するためには個々の組織の変化だけでなく、社会の在り方も根本から変えることが求められる。

ステップ10

輸出相手国の将来人口を把握する

外国の人口変化も頭に入れた経営戦略を

国内需要が急速に減っていく日本は、いずれ海外に打開策を求めざるを得なくなる。それには、各企業が海外マーケットで通用する優位性を明確にすることが必要だと述べてきたが、もう一つ忘れてはならない重要なポイントがある。相手国の将来的なニーズを把握することだ。これから本格的に外需の取り込みをしていかざるを得ない以上、現状のニーズ分析を行うだけでは不十分である。

進出先のマーケットの将来性を理解していなければ大きな痛手を受けかねない。もちろん戦争やクーデターによる政権交代、自然災害など読み切れない要素は多いが、ある程度の予測がつくこともある。本書がテーマとしてきた人口の変化である。日本国内でもそうだが、外国のマーケットも人口の変化を織り込まなければ意味をなさない。将来人口の把握が最も重要なのだ。21世紀は「人口の激動の世紀」でもあり、その動向をしっかり頭に入れて経営戦略を立てなければならない。

外需の取り込みといっても、進出先の国に営業拠点を置いて乗り込んでいくだけではない。観光業や飲食店だったらインバウンド（訪日外国人観光）需要の取り込みだ。「越境ＥＣ」といった国内に居ながらにしてのビジネスは中小企業においても年々伸びてきている。いずれのパターンにせよ、相手国のニーズや生活水準の変化といった情報を知る必要があるという意味においては同じである。

世界人口の3分の1をサハラ砂漠以南のアフリカが占める

では、各国の将来人口はどうなっていくのか。国際連合は２０２２年11月に世界人口が80億人に達したと発表したが、地球儀を俯瞰して今世紀前半の世界人口の潮流を見てみよう。国連の「世界人口推計２０２２」の中位推計（1月1日現在）によれば、２０５０年までに、高い出生率を背景として人口が大きな伸びを見せるのはサハラ砂漠より南に位置する国々だ。２０２２年は11億５２２１万２０００人だが、２０５０年には20億９４００万１０００人へと、１・８倍増となる。21世紀を通じて増え続け、２１００年には34億３５３３万人となる。同年の世界人口は１０３億５５００万２０００人なので3分の1を占めるに至る。

２０２２年から２０５０年にかけての世界人口の増加数は17億４５７８万２０００人と予測されているので、「サハラ砂漠以南のアフリカ」（９億４１７８万９０００人増）だけで増え幅の53・９％となる計算だ。今後30年間の人口増加の半数以上がサハラ砂漠以南を中心としたアフリカ諸国で起きるのである。

インドなどがある「中央・南アジア」も、21世紀前半の人口激増のエリアだ。２０２２年の20億７４９２万５０００人から２０５０年には１・２４倍増の25億７４５２万８０００人となり、ピークの２０７２年（27億１８８万５０００人）まで膨らみ続ける。

これに対して、２０２２年時点で最多の23億４１８７万２０００人を抱える「東アジア・東南アジア」は、２０３４年の23億７５４７万７０００人で頭打ちとなり、その後は減少していく。２０５０年は23億１６６７万５０００人、２１００年には16億５８３３万７０００人にまで落ち込む。

一方、ヨーロッパは減少が続くが、米国やカナダといった「北米」は増えるため「欧州・北米」で見ると、２０２２年の11億２０４１万１０００人から２０５０年には11億２５１７万３０００人とほぼ横ばいとなる。

日本のメーカーや商社などには、これまで「東アジア・東南アジア」に進出してきた企業が少なくないが、このエリアの国々には今世紀半ばにかけて日本と同じくマーケットが高齢化しながら縮小するところが増えてくる。経済成長性に陰りが出てくる国が多くなるだろう。

2050年までに起きる世界人口の変化の最大の特徴は、「中央・南アジア」の人口が「東アジア・東南アジア」を抜き、「サハラ砂漠以南のアフリカ」が遜色《そんしょく》ない規模にまで拡大する3大エリア時代になるということだ。人口の軸が今世紀中に西へ、西へと少しずつ移動していくのである。

社会発展の度合いは国ごとに異なるのでそのまま国際マーケットのニーズの変化を意味するわけではないが、人口の軸が西に移動していくにつれて日本においてはあまり馴染みのなかった国々との交流の必要性が増すことは間違いない。

激変する韓国・中国、魅力を増すインド市場

一方、近隣国はどうかといえば、東アジア諸国は世界で最も激変する地区だ。これから少子高齢化が深刻になるためである。

韓国の合計特殊出生率はこの数年「1・0」にも及ばぬ超低水準を推移しているが、

韓国統計庁によれば、2021年は0・81にまで下がった。この結果、総人口は2022年の5162万人から2070年には3765万人へと27・1%も減少するという。2070年の高齢化率は46・4%となって生産年齢人口（46・1%）をも上回る。「世界で最も老いた国」になる見通しだ。

中国の変化も著しい。中国の統計データは政府に都合よく改竄《かいざん》されることが多いとされるが、国連の推計によれば、合計特殊出生率は日本より低く2022年は1・18だ。中国も韓国と同じく危機的状況にある。国連は2030年には1・27、2040年には1・34、2050年には1・39になるとして将来人口を計算している。

日本貿易振興機構（JETRO）が「世界人口推計2022」を基に今後の中国を展望しているが、総人口は2022年（7月1日時点）の14億2589万人をもってピークアウトし、2023年にはインドに追い越される。2030年に14億1561万人、2040年は13億7756万人とカーブを急にしながら減っていく。2100年には7億7000万人ほどになる見込みだ。一方のインドは、2063年の16億9698万人まで増え続けると推計している。

中国の将来人口については、国連の推計とは別に中国国内の学者もさまざまな試算を行っているが、衝撃的なのは西安交通大学の研究チームの予測だ。香港紙が伝えたところによれば、合計特殊出生率を1・0として推計した結果、2050年の総人口は7億人台にまで減るというのだ。2022年は1・18であり、荒唐無稽な予測とは言えない。本当に30年も経たないうちに総人口が半減近い水準になったならば、中国社会は混乱に陥り、経済低迷は避けられない。

中国の変化で注目すべきは総人口が激減していくことだけではない。マーケットの中心である生産年齢人口が、2022年の9億8430万人から、2030年に9億7245万人、2040年に8億6663万人、2050年には7億6737万人へ急ペースで落ち込んでいく。2022年と2050年を比較すると2億1693万人もの減少だ。

代わりに急上昇するのが、高齢化率である。2022年の13・7%から2030年には18・2%となる。2034年には21・6%で「超高齢社会」に達し、2040年は26・2%、2050年は30・1%と日本の高齢化のスピード上回る勢いで上昇していく。中国経済はすでに伸び悩みが目立つが、こうした人口の変化が追い打ちをかけることは間違いない。

中国の現役引退年齢は日本と比べて若く、定年年齢は男性が60歳、女性幹部は55歳、それ以外の女性は50歳であるので、実質的な高齢化スピードは数字以上に速い。しかも、中国版の「団塊の世代」は１９６２年からのベビーブーマーであり、２０２２年以降に定年退職を迎える。今後は年金問題が大きな社会課題になるだろう。

巨大な中国マーケットはどの業種にとっても魅力的である。しかも日本から距離的に近いため、すでに多くの日本企業が進出している。あるいは進出を検討したり、準備を始めたりしているだろう。だが、人口推計のデータを見る限り、投資を回収し終わらないうちにマーケットが相当変わってしまう可能性が大きい。

ちなみに、インドの２０２２年の高齢化率はわずか６・９％で、非常に「若い国」である。２０５０年においても15・０％と中国や日本と比べればかなり低い水準をキープする。両国を比較した場合、高齢者マーケットに絞って進出するならば中国だが、長期的視点に立って考えるならインド市場ということだろう。

人口減少が進む日本にとって、外国との関係強化は死活問題となる。政府間交流も含めて、いまから人口激増エリアの国々へアプローチしなければならない。

おわりに

人口減少対策とは「夏休みの宿題」のようなものである。いつかはやらなければならないと頭では分かっていても、ついつい後回しにしがちだ。その変化は日々の暮らしの中では目に見えないほど軽微なためである。「まずは目の前の課題をこなすことが先だ」と言い訳しながら、時だけが過ぎていく。

だが、それでは日本社会は遠からずタイムオーバーとなる。人口が減るだけではなく少子高齢化を伴うため、いざ取り掛かろうと思ったときには社会が老いていて手遅れとなっていることだろう。人間だって物事を進めるのに適齢期というものがある。気力体力が衰えてからでは、にっちもさっちも行かないということになりかねない。日本は瀬戸際にあり、いま取り組まなければ永久にチャンスを失う。

私が『未来の年表　人口減少日本でこれから起きること』を世に問うたのは２０１７年のことだ。それから５年が経過したが、いまだに日本社会は拡大路線から脱しきれていない。地域の将来人口を無視したかのような巨大商業施設が次々と誕生し、多くの企業は売上高を伸ばすことに腐心している。

一方で、廃墟と化したビルや老朽化した社会インフラが目立ち、東京ですら街から〝勢い〟が失われてきた。終電時間は繰り上がり、「24時間営業」の見直しが広まっている。地域密着型の食品スーパーマーケットも次々と姿を消している。人口減少に伴う軋《きし》みがあらゆる場面で生じてきている。

われわれは、この瀬戸際を持ちこたえられるのだろうか。あるいは国家衰亡へと続く「向こう側」に転落してしまうのだろうか。この数年が日本の命運を分けそうである。

衰亡の道を歩き始めないよう、本書は第1部で「向こう側」の風景を描き、第2部では対応策を「未来のトリセツ」（10のステップ）としてかなり詳細にお示ししたつもりだ。人口減少社会に突入したとはいえ、日本はまだ多くの分野で世界をリードしている。そうした〝武器〟を簡単に手放してはならない。私は日本人の底力を信じている。

本書を書くきっかけは、『未来の年表』シリーズの読者の皆様からの熱心なリクエストであった。講談社現代新書編集部を通じて「続編は出ないのですか？」といったお問い合わせを随分いただいた。こうしたお言葉ほど著者として嬉しいものはない。期待にお応えしたいという思い以上に、多くの方々にお支えいただいていることを改めて痛感した。この場をお借りして感謝申し上げる。

今回は、日本が瀬戸際にあることを端的にお伝えしたいとの思いから、ビジネスを切り口にすることとした。未来を可視化する作業というのは難しい。データが集まらず断念したテーマもある。紙幅の制約があって、多くの業種や職種、仕事を取り上げられなかったことはご容赦願いたい。これらについては次の機会に恵まれれば、紹介していきたい。

他方、資料収集と分析は、分野が多岐にわたったこともあって想像以上の労力を費やすこととなった。時間ばかりが過ぎていく苦しい作業を支えてくれたのは、今回から編集を担当してくれることとなった講談社現代新書編集部の佐藤慶一さんの励ましであった。締め切りに追われて綱渡りのような編集作業の連続だったが、黙々とこなしてくれた。本書を世に送り出せたのは、佐藤さんの粘り強い仕事ぶりがあってのことだ。

佐藤さんは前任の米沢勇基さんよりもさらに若い30代初めで、還暦を目前に控えた私とは親子ほどの年の差だ。当然ながら見つめている「未来」は私よりもはるかに遠く、その若き感性は多くの気づきをもたらしてくれた。それは「未来」をテーマとする本書にとっては大変にありがたいことであった。若い世代の視点も取り込んだ本書が、幅広い世代に愛されることを願っている。

最後となったが、私を支え続けてくれる妻、子供たち、母、癒しを与えてくれるペットの猫に感謝を込めて本書を捧げる。

講談社現代新書　2688

未来《みらい》の年表《ねんぴょう》　業界《ぎょうかい》大変化《だいへんか》　瀬戸際《せとぎわ》の日本《にほん》で起《お》きること

二〇二二年一二月二〇日第一刷発行　二〇二三年一月二七日第五刷発行

著　者　河合雅司《かわいまさし》　©Masashi Kawai 2022

発行者　鈴木章一
発行所　株式会社講談社
東京都文京区音羽二丁目一二—二一　郵便番号一一二—八〇〇一
電　話　〇三—五三九五—三五二一　編集（現代新書）
〇三—五三九五—四四一五　販売
〇三—五三九五—三六一五　業務
装幀者　中島英樹／中島デザイン
印刷所　株式会社ＫＰＳプロダクツ
製本所　株式会社国宝社　図表制作　株式会社アトリエ・プラン
定価はカバーに表示してあります　Printed in Japan

N.D.C. 334.3　232p　18cm
ISBN978-4-06-530250-7

「講談社現代新書」の刊行にあたって

　教養は万人が身をもって養い創造すべきものであって、一部の専門家の占有物として、ただ一方的に人々の手もとに配布され伝達されうるものではありません。

　しかし、不幸にしてわが国の現状では、教養の重要な養いとなるべき書物は、ほとんど講壇からの天下りや単なる解説に終始し、知識技術を真剣に希求する青少年・学生・一般民衆の根本的な疑問や興味は、けっして十分に答えられ、解きほぐされ、手引きされることがありません。万人の内奥から発した真正の教養への芽ばえが、こうして放置され、むなしく滅びさる運命にゆだねられているのです。

　このことは、中・高校だけで教育をおわる人々の成長をはばんでいるだけでなく、大学に進んだり、インテリと目されたりする人々の精神力の健康さえもむしばみ、わが国の文化の実質をまことに脆弱なものにしています。単なる博識以上の根強い思索力・判断力、および確かな技術にささえられた教養を必要とする日本の将来にとって、これは真剣に憂慮されなければならない事態であるといわなければなりません。

　わたしたちの「講談社現代新書」は、この事態の克服を意図して計画されたものです。これによってわたしたちは、講壇からの天下りでもなく、単なる解説書でもない、もっぱら万人の魂に生ずる初発的かつ根本的な問題をとらえ、掘り起こし、手引きし、しかも最新の知識への展望を万人に確立させる書物を、新しく世の中に送り出したいと念願しています。

　わたしたちは、創業以来民衆を対象とする啓蒙の仕事に専心してきた講談社にとって、これこそもっともふさわしい課題であり、伝統ある出版社としての義務でもあると考えているのです。

一九六四年四月　野間省一

経済・ビジネス

350 経済学はむずかしくない〈第2版〉——都留重人
1596 失敗を生かす仕事術　畑村洋太郎
1624 企業を高めるブランド戦略——田中洋
1641 ゼロからわかる経済の基本——野口旭
1656 コーチングの技術——菅原裕子
1926 不機嫌な職場——高橋克徳 河合太介 永田稔 渡部幹
1992 経済成長という病——平川克美
1997 日本の雇用——大久保幸夫
2010 日本銀行は信用できるか　岩田規久男
2016 職場は感情で変わる　高橋克徳
2036 決算書はここだけ読め!——前川修満
2064 決算書はここだけ読め! キャッシュ・フロー計算書編　前川修満

2125 ビジネスマンのための「行動観察」入門　松波晴人
2148 経済成長神話の終わり　アンドリュー・J・サター 中村起子 訳
2171 経済学の犯罪——佐伯啓思
2178 経済学の思考法——小島寛之
2218 会社を変える分析の力　河本薫
2229 ビジネスをつくる仕事　小林敬幸
2235 20代のための「キャリア」と「仕事」入門——塩野誠
2236 部長の資格——米田巖
2240 会社を変える会議の力　杉野幹人
2242 孤独な日銀——白川浩道
2261 変わった世界 変わらない日本——野口悠紀雄
2267 「失敗」の経済政策史　川北隆雄
2300 世界に冠たる中小企業　黒崎誠

2303 「タレント」の時代——酒井崇男
2307 AIの衝撃——小林雅一
2324 〈税金逃れ〉の衝撃　深見浩一郎
2334 介護ビジネスの罠——長岡美代
2350 仕事の技法——田坂広志
2362 トヨタの強さの秘密　酒井崇男
2371 捨てられる銀行——橋本卓典
2412 楽しく学べる「知財」入門——稲穂健市
2416 日本経済入門——野口悠紀雄
2422 捨てられる銀行2 非産運用——橋本卓典
2423 勇敢な日本経済論——髙橋洋一 ぐっちーさん
2425 真説・企業論——中野剛志
2426 東芝解体 電機メーカーが消える日　大西康之

自然科学・医学

1141 安楽死と尊厳死——保阪正康
1328 「複雑系」とは何か——吉永良正
1343 カンブリア紀の怪物たち　サイモン・コンウェイ・モリス　松井孝典 監訳
1500 科学の現在を問う　村上陽一郎
1511 優生学と人間社会——米本昌平　松原洋子　橳島次郎　市野川容孝
1689 時間の分子生物学——粂和彦
1700 核兵器のしくみ——山田克哉
1706 新しいリハビリテーション　大川弥生
1786 数学的思考法——芳沢光雄
1805 人類進化の７００万年　三井誠
1813 はじめての〈超ひも理論〉　川合光
1840 算数・数学が得意になる本　芳沢光雄
1861 〈勝負脳〉の鍛え方——林成之
1881 「生きている」を見つめる医療——中村桂子　山岸敦
1891 生物と無生物のあいだ　福岡伸一
1925 数学でつまずくのはなぜか　小島寛之
1929 脳のなかの身体——宮本省三
2000 世界は分けてもわからない　福岡伸一
2023 ロボットとは何か——石黒浩
2039 ソーシャルブレインズ入門　藤井直敬
2097 〈麻薬〉のすべて——船山信次
2122 量子力学の哲学——森田邦久
2166 化石の分子生物学——更科功
2191 ＤＮＡ医学の最先端　大野典也
2204 森の力——宮脇昭
2219 宇宙はなぜこのような宇宙なのか——青木薫
2226 宇宙生物学で読み解く「人体」の不思議——吉田たかよし
2244 呼鈴の科学——吉田武
2262 生命誕生——中沢弘基
2265 ＳＦを実現する——田中浩也
2268 生命のからくり——中屋敷均
2269 認知症を知る——飯島裕一
2292 認知症の「真実」——東田勉
2359 ウイルスは生きている　中屋敷均
2370 明日、機械がヒトになる　海猫沢めろん
2384 ゲノム編集とは何か　小林雅一
2395 不要なクスリ 無用な手術　富家孝
2434 生命に部分はない——A・キンブレル　福岡伸一 訳

知的生活のヒント

日本語・日本文化

105 タテ社会の人間関係 中根千枝
293 日本人の意識構造——会田雄次
444 出雲神話——松前健
1193 漢字の字源——阿辻哲次
1200 外国語としての日本語——佐々木瑞枝
1239 武士道とエロス——氏家幹人
1262 「世間」とは何か——阿部謹也
1432 江戸の性風俗——氏家幹人
1448 日本人のしつけは衰退したか——広田照幸
1738 大人のための文章教室 清水義範
1943 なぜ日本人は学ばなくなったのか——齋藤孝
1960 女装と日本人——三橋順子
2006 「空気」と「世間」——鴻上尚史
2013 日本語という外国語 荒川洋平
2067 日本料理の贅沢——神田裕行
2092 新書 沖縄読本——下川裕治 仲村清司 著・編
2127 ラーメンと愛国——速水健朗
2173 日本人のための日本語文法入門——原沢伊都夫
2200 漢字雑談——高島俊男
2233 ユーミンの罪——酒井順子
2304 アイヌ学入門——瀬川拓郎
2309 クール・ジャパン!? 鴻上尚史
2391 げんきな日本論——橋爪大三郎 大澤真幸
2419 京都のおねだん——大野裕之
2440 山本七平の思想——東谷暁